如何修持華嚴經

洪啟嵩◎著

《華嚴經》被傳述為佛陀最初所宣說的經典，
是明白宣示佛陀自內證境界的經典，也是忠實述說法界廣大無盡緣起的教法，
是直接顯示圓滿的佛果妙境，至究竟、至微妙的一部經典。
依隨本經修持，成為發菩提心的善財童子，追隨普賢菩薩的行持，
終將成為未來《華嚴經》中的主角—毗盧遮那佛。

佛經修持法 7

目錄

出版緣起

每一部佛經都是佛陀為了導引眾生離苦得樂、去除妄想、證得覺悟境界而宣說的金言，也是諸佛如來的成佛心要。而每一部佛經也都因應著不同眾生的根器緣起，來指示大眾修證成佛的妙道。

所以佛經成立的主旨，就是希望大家投入佛經之中，以佛經的智慧為智慧，以經中的生活為生活，來實踐「佛經化的生涯」；而佛經不只是閱讀、誦持、聽聞、思惟佛經的境界。〈佛經修持法〉系列即是基於「佛經即生活」、「生活即佛經」的見地，來解說佛教經典中的修行法要，使不同因緣的大眾，可以抉擇與自己有緣的經典，來圓滿成就佛道。

一般人讀誦佛經的時候，常都只是讀誦而已。〈佛經修持法〉系列的出版目的，不僅期望大家清楚的持誦經文的每一個字，更希望將佛經的內容變成實踐實修的法門，可以實際在生活中運用；讓每一部佛經都有次第可以修持，從見地上的建立，到道地上的修證法則，最後證入佛經所描述的圓滿果地。

〈佛經修持法〉就是希望能夠承續古德未完成的志業，從閱讀佛經，來建立佛經的正見，依法修持實踐，整理匯入日常生活當中，成為隨時可以實踐的一致法門，甚至成為佛經的生涯規劃。

此外，〈佛經修持法〉並非立足於一種觀行的儀軌而已，也就是說，它並不像中國歷代的懺法，如：淨土懺法、或金剛般若懺法，乃至於密乘儀軌的修持法。雖然這樣的懺法儀軌也是一種觀行的次第。但是，這些觀行的次第，恐怕也只是在我們修法的時候，按照觀行的儀軌而去觀想實證而已，並不是我們日常二六時中，可以隨時隨地與我們的生活融合為一的。

〈佛經修持法〉是要使我們生活中的正見即是佛經所現的正見；生活中所有的行事，都是由這正見所指導的正確業行，我們的心意識當中的所有思惟，所有觀行，都和經典相應；乃至於現證到我們所生活的世界，就是整個佛經的世界，而我們的身口意，與宣講經主的身口意都融合為一。

這樣的宣說，基本上是期望大家能把佛經實現在生活之中；亦即我們生活在佛經之中，而佛經活在我們之中。如此現起的世界，也就是經中的清淨世界。這才是真正佛經的修持法，也才是真正的轉經。如果只是讀誦佛經，縱使讀誦幾千幾萬遍的經文，佛經還是佛經，生活是生活，這兩者還是有所分別的。

理想的佛法實現，是直接實現經論的世界，直接使這個世界成為佛經的淨土，一切人都是現前佛菩薩，一切語皆是佛語，一切行皆是佛行，而幻化空花的佛事，就是如幻的莊嚴現前。只要我們有深切的體認，願意精進不懈的實踐，定能達成佛經淨土的世界，而現在就是開始。

如何修持華嚴經——序

《華嚴經》是明白宣示佛陀自證境界的經典，也是忠實述說法界無盡緣起的教法，是直顯圓滿的佛果妙境，至究竟、至微妙的一部經典。我們依隨不壞信心、信解如來的真實境界，並依隨普賢菩薩行持修證者，終將成就毘盧遮那佛的莊嚴境界。所以《華嚴經》可說是以「佛境菩薩行」來做為我們的信解、依皈、修證、成就的圓滿開示。

我們也可以將《華嚴經》視為法界的大劇本，以毘盧遮那佛為中心，以普賢行作為貫串。因此在《華嚴經》中，首先以一切的世主的讚頌來彰顯偉大的毘盧遮那如來；接著以如來的示現來標舉眾生依皈的如來果地；並以普賢三昧導引出無盡圓滿的華藏世界海。而以十信、十住、十行、十迴向、十地、十定、十通等菩薩階位，解說趨入佛果的境界因緣。最後翻入「入法界品」，以善財童子五十三參來實踐前述的佛境。

因此，我們要了知普賢在《華嚴經》中的殊勝。「普賢因」即為眾生的清淨佛性；「普賢行」即為一切的菩薩行，而以普賢菩薩為示現；「普賢果」即一切眾生圓滿成就的毘盧遮那佛果位。落實到人間的修習即以善財童子為表徵，當其發起菩提心，即具足圓滿普賢因，開始實踐普賢行；而其成就的依皈，即是在菩提場中始成正覺的「毘盧遮那佛」——釋迦牟尼。

在修學《華嚴經》的過程當中，我體認到《華嚴經》從來沒有離開過現前的法界；我們所存在的這個世界、乃至於每一個眾生，都是華藏世界海的示現，所以我們都活在《華嚴經》中。就另一個意義而言，《華嚴經》就是法界中每一個眾生從初發心、勤修普賢行願、圓滿毘盧遮那佛果的修證記載。是每一個眾生孜孜矻矻於菩提大道的生命奮鬥史。所以，每一個發菩提心的人都是善財童子，也就是未來《華嚴經》中的主角——毘盧遮那佛。

法界就是現前的《華嚴經》，如果願意承擔，我們的一生就在實踐《華嚴經》，就是在圓滿普賢的行願。在這一剎那，我們可以現前的了悟華藏世界海，就是我們所安立的世界，其清淨與雜染，也就在一心當中了。此時，我們能夠澈見四周一切的國土與眾生，現前的證入華嚴法界，現前的示現圓滿佛果；這樣的感受庶幾相應於《華嚴經》中究竟的「海印三昧」了。

我們在面對《華嚴經》中，千萬勿與《華嚴經》切割；而必須以熾誠的信解，將自身融入《華嚴經》中，這或許是證入「海印三昧」最適當的方法。

「如何修持華嚴經」將《華嚴經》做了一次全面的導覽，希望能透過解讀，讓大家更容易趨入這部廣大經典。最後並將經文中的〈淨行品〉，做完整的明解，幫助讀者發願，讓讀者可以輕易在生活的每一個部分，都能實踐相應淨行，讓《華嚴經》的內容成為我們生活修持、實踐的內容，日常生活當中的所有行事、我們的心意識，全部都與《華嚴經》相應，生活的世界就是整個華藏世界海。

《華嚴經》是一切眾生成佛的典範，是不退讓菩薩的皈命之處。基於宿緣，《華嚴經》也一直是我修學佛法的主體與明燈；希望大家能夠共同修持《華嚴經》，在未來的生生世世當中，能夠永不退轉的護持著《華嚴經》，並成就偉大的普賢行願。

最後，祈願一切的眾生

圓滿　毘盧遮那佛果

第1章

關於華嚴經

認識華嚴經

◆《華嚴經》的地位

《華嚴經》在大乘佛教中，佔有極為重要的地位；在中國漢譯的佛教經典當中，本經也是一部弘偉的大經，有著無比崇高的地位，向來與《般若經》、《寶積經》、《大集經》、《涅槃經》等，合稱為「五大部」。《華嚴經》的全名為《大方廣佛華嚴經》梵名Budhâ ratam saka-mahâ vaipulya-sūtra，意思是「稱為佛華嚴的大方廣經」，簡稱為《華嚴經》。

《華嚴經》是毘盧遮那如來於菩提道場始成正覺時，為文殊、普賢等大菩薩，宣說佛陀廣大圓滿、無盡無礙的內證法門。菩薩依不壞信心來信解如來的真實境界，並依普賢菩薩行持修證者，終將成就毘盧遮那佛的圓滿境界。

《華嚴經》的主角：毘盧遮那佛

本經首先以一切世主的讚頌，來彰顯偉大的毘盧遮那如來；接著以如來的示現，來標舉眾生依皈的如來果地；並以普賢三昧導引出無盡圓滿的華藏世界海。而以十信、十住、十行、十迴向、十地、十定、十通等菩薩階位，解說趨入佛果的境界因緣。最後翻轉回到「入法界品」，以善財童子五十三參，來實踐前述的佛境。

因此，整部經就是法界中每一

個眾生從初發心、勤修普賢行願、圓滿毘盧遮那佛果的修證記載，是每一個眾生在菩提大道的生命奮鬥史。而善財童子五十三參，正是修行者的典範。我們發起菩提心即是善財童子，也終將成為未來《華嚴經》中的主角——毘盧遮那佛。

關於《華嚴經》宣說的時間，根據過去的說法，《華嚴經》是毘盧遮那如來於菩提場始成正覺時所宣說的。世親菩薩所著的《十地經》與尸羅達摩翻譯的《十地經》中，則以為成道未久第二七日所宣說，這個說法廣為後代所使用。這時期佛陀所說的法，大都是針對文殊、普賢等大機菩薩，演說佛陀所內證的法門。根據這樣的說法，《華嚴經》於是被傳述為佛陀最初所宣說的法要。

中國在第二世紀後半至第三世紀末的時期，相繼翻譯出有關華嚴的支分經典。在這段期間，從事於佛學研究講述，並著手將之整理為有系統組織的各家學派，尚未成熟；而在東晉到六朝之際，及六十卷《華嚴經》初傳到中國的時候，中國佛教界已經開始著手於整理歷來所傳譯至中國的各種經典，並作系統性的研究。此時判教①的研究逐漸興起，時人將佛陀的一代時教，依據各自的思想，設定各種經典的地位，分別其間的關係，給予經典的思想內容作適當的評價，將全體佛教作一有系統的比列研究。

因此六十卷《華嚴經》在佛馱跋陀羅三藏（覺賢，西元三五九～四二九年）晚年傳譯到中國之後，受到佛教界極大的矚目；也使得研究此經的學者輩出，對中國佛教產生極大影響。

《華嚴經》經中國古德的弘揚，而成立了「華嚴宗」。在中國佛學中，判教的說法，從南北朝來就持續開展著，經隋代到唐初前後百餘年間，著名的判教不下二十家。華嚴宗也繼承了這些說法加以判釋，而成立了小、始、終、頓、圓「五教

《華嚴經》中的第二男主角：普賢菩薩

說」。

賢首法藏（西元六四三～七一二年）在他判教的基本著作《華嚴一乘教義分齊章》中，略述十家立教，作為其判教之龜鑒；這就是：一、菩提流支的一音教；二、護法師的漸、頓二教；三、光統的漸、頓、圓三教；四、大衍的因緣、假名、不真、真實四教；五、護身的因緣、假名、不真、真、常、圓六教；七、南嶽慧思與天台智者的藏、通、別、圓四教；八、江南愍師的屈曲、平等道二教；九、光宅法雲的三乘、一乘四教；十、玄奘的轉、照、持三法輪三教。

根據賢首的意見，上面所舉十家中，前六家比較為舊說，後四家為新說，大都推崇《華嚴經》為最尊最上，只有玄奘的說法概括不了「華嚴」。但重視《華嚴經》的各家，實際上觀點也並不一致，賢首對此並未加以分別，平等推崇，不能不說是有所欠缺。

在華嚴宗的傳承中，明顯的受到了「地論師」的影響。《十地經論》是印度世親菩薩對《十地經》的解釋，在大家的心目中是最有權威的一部經典，而「地論學派」乃是以《十地經論》為研究中心的學派。《十地經論》經由菩提流支與勒那摩提翻譯出之後，因為他們兩人對此論的理解有所差別，所以在說法上也產生分歧，因此形成了兩個流派。

北道派由流支傳道龍，南道派由摩提傳下，因為摩提兼傳定學，所以在禪定方面傳給道房、定義二人，教學方面傳給了慧光（光統律師）。光統律師以研究華嚴的中心——《十地經》為主，他將佛陀教法判為漸、頓、圓三種，判定《華嚴經》為圓教。

南道派的傳承，由慧光傳法上、道凭、僧範、曇遵；法上傳淨影寺慧遠，道凭傳靈裕，曇遵傳曇遷等，這一系的傳承，到隋、唐末斷，最後隨著華嚴宗之發展而被融入。

《華嚴經》的意義與價值

華嚴宗為了進一步闡明本經特有的意義與價值，又拉出了本、末二教與同、別二教的判教。本、末二教，就是認為《華嚴經》是說明佛陀所自證法門的根本經典，為根本法經，因其原本並非是對機而說法，所以其中沒有受到他人絲毫的掣肘。其他的經典則不然，都是站在受法者的立場所宣說，這時為了使聽法者能理解，必須使用方便教說，不能直暢本懷，所以是為逐機破病的末教，為枝末法輪；即使是一乘的經典，也是對機的說法，並不能說是如實的顯現佛陀的自證境界。基於這種看法，《華嚴經》可說是真正能明白宣示佛陀所自證境界的經典。

所謂同、別二教，是說明：即使是同屬一乘教之中，又必須分別同教一乘與別教一乘。同教是「會三歸一」，是一乘、三乘相通的法門；而僅以大機菩薩為對機者，只有闡述圓教者，即是別教。

依此判法，《華嚴經》是忠實述說法界無盡緣起的教法，為「一乘純粹之教」（直顯門）；其他的一乘教，則為依於三乘之教，而有說一乘的「一乘、三乘混同之教」（寄顯門）。因此同是一乘教之中，也只有《華嚴經》才是最圓滿，佔有著最高的地位。

從華嚴宗的教學而言，同教、別教的判教，具有很深的涵意；若從各種觀點來研究，就可以明白《華嚴經》的地位，及華嚴與其他經典的關係。現在我們依三論宗嘉祥大師之三轉法輪的判教來看：所謂三轉法輪，是將釋迦牟尼佛一代時

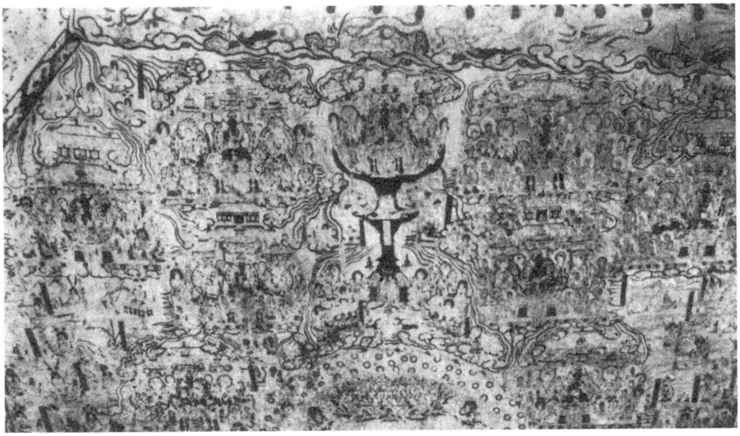

華嚴經變相圖（敦煌第78窟北壁）

教分類為三，以《華嚴經》為根本法輪，《阿含經》以下的諸經為枝末法輪，《法華經》為攝末歸本法輪。

以《華嚴經》為根本法輪，在上述的華嚴宗判教已說得很清楚，即使《華嚴經》在史實上並非釋尊最初說的法，但《華嚴經》本身的內容卻是明顯地表現出佛陀證悟的境界；因此，若將一切教法定義為源於釋尊之成正覺，自此流出者，則不能不推《華嚴經》為根本法輪。

從而阿含以下諸經，自然都被列為《華嚴經》的分枝流派。而為了標舉出釋尊五十年化導之實，總結其成，則必然要歸其本懷，因此以「開三顯一」、「廢權顯實」的《法華經》，為攝末歸本的法輪，這是極為巧妙的看法。

但是由華嚴宗或天台宗的教學而言，此判教仍然有未盡之處，不過大體上仍可以說，是對於《華嚴經》及《法華經》的意義及地位，作了極高的評價。

若將《華嚴經》視為大覺的初顯、為化導的本源者，則《法華經》就是化導的終局，而反過來見其本源。其傾向的相異，是由於二經立足點的不同，而導致的必然結果。在中國，這兩部經典的研究最後開展出華嚴、天台二宗，成為中國佛教的精華，接著又成為日本、韓國佛教的基礎，並開展出許多宗派。

《華嚴經》的譯本

《華嚴經》的支分經典，幾乎歷朝皆有傳譯，然而完整的《大方廣佛華嚴經》，是東晉佛馱跋羅費時三年所譯出，共五十卷；後來又加上校訂，成為六十卷本，即現存的「六十華嚴」。其次，「八十華嚴」則是在唐武后則天時，由實叉難陀所譯，凡八十卷。唐譯本文辭流暢，義理明晰，故廣為傳誦至今。

「八十華嚴經」的譯者——三藏實叉難陀

（西元六五二～七一〇年），于闐人，梵名為學喜、喜學之意，為唐代譯經三藏大師。他於唐時持梵本《華嚴經》至洛陽，奉則天武后之命，與菩提流志、義淨等，共譯成漢文，則新譯八十卷《華嚴經》。此外，另譯有《十善業道經》、《地藏菩薩本願經》、《文殊授記經》等多部經典。

世壽五十九，遺體火化後，舌部完好並未燒壞，由門人悲智等，護送靈骨及舌回返于闐，建塔供養；後人並在其火化處建造七重塔，名「華嚴三藏塔」以表對其崇敬之意。

晉譯的六十卷本，是由八會三十四品構成，所減略的一會五品，是指晉譯中，以〈十地品〉以下的十一品為第六會，而唐譯本〈十地品〉獨立一會，以〈十定品〉以下的十一品為第七會，所以減少了一會。品數的話，第一會之中，唐譯的〈如來現相品〉以下五品，晉譯本簡略地總攝於〈盧舍那佛品〉中，由是減少了四品；再加上唐譯的〈十定品〉，晉譯本缺，故正好少了五品，成為三十四品。

另外有《大方廣佛華嚴經》的通稱，而內題〈入不思議解脫境界普賢行願品〉，其實只是唐譯本的〈入法界品〉第三十九的異譯。此譯本譯出的時代較遲，多增加了不少內容，其中最重要的是第四十卷，一般稱為〈普賢行願品〉而別行，通常也是作為《華嚴經》流通分的那一卷。

本經的晉譯六十卷本，是七處八會三十四品，而唐譯八十卷本，是七處九會三十九品；兩部譯本的全經各品與支分經對照，列表如下：

〔六十華嚴〕

一、寂滅道場會
- 一、世間淨眼品
- 二、盧舍那品

二、普光法堂會
- 三、如來名號品
- 四、四諦品
- 五、如來光明覺品
- 六、菩薩明難品
- 七、淨行品
- 八、賢首菩薩品

三、忉利天宮會
- 九、佛昇須彌頂品
- 一〇、妙勝殿上說偈品
- 一一、菩薩十住品
- 一二、梵行品
- 一三、初發心功德品
- 一四、明法品

〔異譯單經〕

- 兜沙經
- 菩薩本業經
- 諸菩薩求佛本業經
- 菩薩十住行道品
- 菩薩十住經

〔八十華嚴〕

一、寂滅道場會
- 一、世主妙嚴品
- 二、如來現相品
- 三、普賢三昧品
- 四、世界成就品
- 五、華藏世界品
- 六、毘盧遮那品

二、普光法堂會
- 七、如來名號品
- 八、四聖諦品
- 九、光明覺品
- 一〇、菩薩問明品
- 一一、淨行品
- 一二、賢首品

三、忉利天宮會
- 一三、昇須彌山頂品
- 一四、須彌頂上偈讚品
- 一五、十住品
- 一六、梵行品
- 一七、初發心功德品
- 一八、明法品

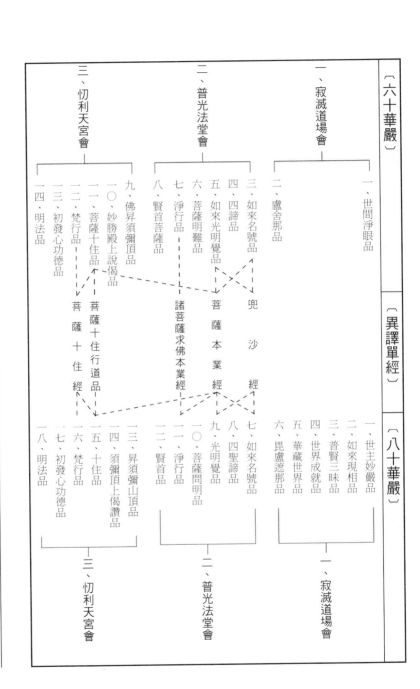

〔六十華嚴〕

四、夜摩天宮會
- 一五、佛昇夜摩天宮品
- 一六、夜摩天宮說偈品
- 一七、十行品
- 一八、十無盡藏品

五、兜率天宮會
- 一九、昇兜率天宮寶殿品
- 二〇、兜率天宮讚佛品
- 二一、十迴向品

六、他化天宮會
- 二二、十地品
- 二三、十明品
- 二四、十忍品
- 二五、心王菩薩阿僧祇品
- 二六、壽命品
- 二七、菩薩住處品
- 二八、佛不思議法品
- 二九、如來相海品
- 三〇、佛小相光明功德品
- 三一、普賢菩薩行品
- 三二、寶王如來性起品

〔異譯單經〕

- 漸備一切智德經
- 十住經
- 十地經
- 等目菩薩所問三昧經
- 顯無邊佛土功德經
- 較量一切佛剎功德經
- 如來興顯經

〔八十華嚴〕

四、夜摩天宮會
- 一九、昇夜摩天宮
- 二〇、夜摩宮中偈讚品
- 二一、十行品
- 二二、十無盡藏品

五、兜率天宮會
- 二三、昇兜率天宮
- 二四、兜率宮中偈讚品
- 二五、十迴向品

六、他化天宮會
- 二六、十地品

七、重會普光法堂
- 二七、十定品
- 二八、十通品
- 二九、十忍品
- 三〇、阿僧祇品
- 三一、壽量品
- 三二、諸菩薩住處品
- 三三、佛不思議法品
- 三四、如來十身相海品
- 三五、如來隨好光明功德品
- 三六、普賢行品
- 三七、如來出現品

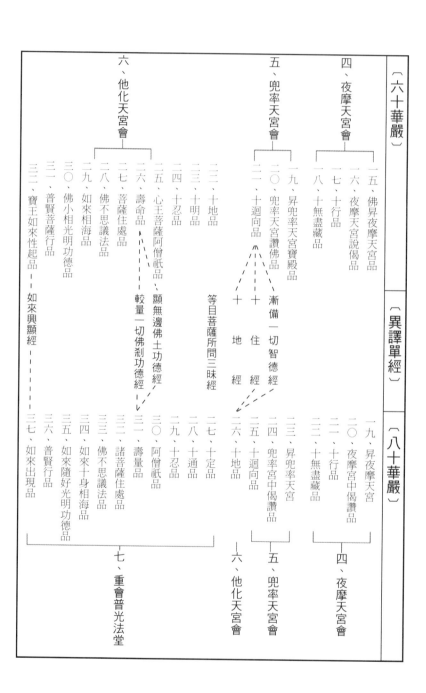

〈六十華嚴〉		〈異譯單經〉		〈八十華嚴〉
七、重會普光法堂	三三、離世間品	度世品經	三八、離世間品	八、三重會普光法堂
八、逝多園林會	三四、入法界品	羅摩伽經 入法界品 四十華嚴	三九、入法界品	九、逝多園林會

以上九會三十九品的《華嚴經》綱領，由「文」和「義」兩方面來了解，較易入手。「文」是指能詮的言教，是言辭表現形式，「義」是指所詮的義理，也就是思想內容。

首先由「文」來看，可以「華嚴四分」來說明，四分為：四分為：信、解、行、證。即：舉果勸樂生信分、修因契果生解分、託法進修成行分、依人入證成德分。

第一會的十一卷六品中，舉出毘盧遮那佛的圓滿果報，是為了要勸發眾生的樂欲，使其生起信念，因此稱為「舉果勸樂生信分」。

從第七的〈如來名號品〉以下到第三十七的〈如來出現品〉，共四十一卷三十一品，說明修行十信、十住、十行、十迴向、十地的五位因行等成滿佛果之事，鮮明鉤鎖因果，次第轉進，是為了使修行者在修因感果的理法上，能生起瞭解的教說，因此稱之為「修因契果生解分」。

第八會的〈離世間品〉七卷，是說明託六位的行法，廣修二千行法之事，因此名為「託法進修成行分」。

最後的〈入法界品〉廿一卷，是敘說善財童子依著善知識的教導，修習前面所說的行法，證入法界法門，成就勝德之事，因此稱為「依人入證成德分」。

其次在「義」方面，由其所說的內容大觀本經始終，九會的說法，不外是說明法界因果的道理；假若開展這個法界因果的說法，則有法藏一系「五周因果」的論說。

首先，第一會之中，初品為敘述本經教起的因緣總序文，第二品以下進入正說，首先開示毘盧遮那佛的果德，其次〈毘盧遮那品〉略說其往昔因行，因此以之為「所信因果」。

從第二會最初的〈如來名號品〉到第七會的〈諸菩薩住處品〉等廿六品，顯

華嚴經變相圖（敦煌第55窟窟頂北壁）

示五十位的因行差別；其次的〈佛不思議法品〉以下的三品，說明佛果的三德差別，是為「差別因果」。

第七會最後的二品，首先的〈普賢行品〉，說明普賢的圓因，其後之〈如來出現品〉，說明毘盧遮那佛的圓滿的果德，融合前面的差別因果之相，明白顯示出因必攝果、果必賅因，因果交徹不二，因此是為「平等因果」。

又第八會的〈離世間品〉，初始說明二千行法，解釋因明，接著表示八相作佛的大用，證等果相，是為「成行因果」。

最後的〈入法界品〉，起初為本會

說明佛陀的自在大用，顯示證入的果位境界；後來敘述善財童子參訪善知識，修持因位的行持時，終於證入法界妙門之事，是為「證入因果」。總括來看，可明白本經的內容為五周的因果。

將「五周因果」與前段的「華嚴四分」配合，即「所信因果」為信，「差別因果」和「平等因果」為解，「成行因果」為行，「證入因果」為證。由此可知，「文」與「義」在此是完全一致的，所以本經的綱領，可以「信、解、行、證」來總括。

註釋

①判教

在佛教中根據義理的深淺、說時的先後等方面，將後世所傳的佛教各部分，加以剖析類別，以明說意之所在的叫做判教。

根、道、果殊勝的華嚴經

◆修學《華嚴經》的正確理念

修習《華嚴經》的行者，要有以下的正見——一切佛法正見都是屬於華嚴正見、華嚴見地的加行。

也許有人會問：「理上來說，我們的身體充滿一切世間，其音普順十方國土；但問題是：雖然說理上悉皆平等，我們體性一如，但是事實上我們仍然是凡夫俗子……」問題就出在這裡：「你認為」你的體性一如，而「但是」兩個字也是問題的所在。

有的修行人還沒有辦法證到這圓滿境界，但是當他在講授華嚴的時候，在覺受上一定要先有華嚴境界之覺受。如此，聽法者的心才會鬆開，如此就沒有「但是」或「不但是」的問題，沒有分別對待的思惟。

而聽法者在聽法時，身體也應該有這種遍入十方的體受。說法者所講的華嚴境界，同時與聽法者等同證到，這才是一切說法的主旨，也是一切諸佛說法的主旨。說法者也許沒有辦法像諸佛的境界一般那麼具體，但是應有這種覺受，並使大家同時能夠達到；所以聽法的人，都會感覺無限的喜悅，感同身受。

◆華嚴的正見

我們要了知華嚴的正見，要從「理無礙」來體會華嚴境界，再到一切「事無礙」體會華嚴境界，然後漸至「理事無礙」，交融一味的境界來體會華嚴境界，最後「事事無礙」，隨拈一處，無處不圓，隨拈一處即是華嚴世界海。隨拈一處，一粒沙、一微塵，周遍法界，含融一切法界，能含容無限大，也能夠含容無限小，能含容任何一個小處，且任何一剎那都能在，一剎那能夠含攝無窮的時間，無窮的時間能夠含攝一剎那；所以說「十方廣大無邊，三世流通不盡」，所以說「一念萬年去」。這也只是從華嚴法界處處即真、處處即圓的境界裡面，所拈出的一分一毫而已。

◆華嚴的境界

華嚴的境界是：上窮佛志，下含一切眾生現前世界，不捨一切現前世界，從性起反觀照到現前一切，處處皆圓，現起處處皆是無性，處處就是真如。我們體會此華嚴的正見，依此正見為導，在華嚴世界海中不斷修持，不斷的修習，使身心完全匯歸到法界，再依「佛境菩薩行」的樣態在此世間顯現、實踐，到最後示現圓滿的毘盧遮那佛。

華嚴不可思議的根、道、果

華嚴境界，其根、道、果皆是不可思議的。什麼是華嚴境界的「根」？一切眾生現前體性俱皆圓滿。華嚴正見的根，是極不可思議、極為殊勝的，現前了知華嚴正見，即是墮入佛數中；所以說「初發心即成正覺」，這是華嚴的根；華嚴見地的至勝之處。

華嚴的「道」是法界之道，隨順法界、處處皆圓即是華嚴正見，依據華嚴之根，華嚴之正見，隨處隨現皆是不可思議。由這個道，顯示依處事事無礙的境界，在世間隨現隨圓，有因有緣而施以華嚴妙行，就是殊勝華嚴行。

華嚴的「果」，即是毘盧遮那佛果，他可以在小世界成佛，也可以在大世界成佛，可以一切處現前成佛。可以在生命中成佛，可以在思想中成佛，在意念中成佛，也可以在光明中成佛，可以在大地上成佛；華嚴世界不可思議、不可思議——全體的圓滿即是華嚴果位。

這殊勝的根、道、果，我們要如何證得呢？最究竟根器的人，是一剎那即得。這一剎那不是有一個「剎那」，而是當其斷除一切分別想，不含任何分別疑異，此時殊勝根器所具有的華嚴正見。

另外，有殊勝中更殊勝者，在當下斷除了所有分別想像的纏繞、時間的纏繞之剎那，馬上又還入這個世間，現起無功用行，只是在當下示現華嚴菩薩境界，此是殊勝中之殊勝。

也有更殊勝中更殊勝而致圓滿者，不只是示現華嚴行菩薩的境界，而且在當下所有的境界圓滿，全體顯現蓮華藏世界海，當下即成毘盧遮那佛，在菩提樹下，初始成就正覺。這個是《華嚴經》最究竟根本境界，也就是在《華嚴經》中第一句所說：「如是我聞：一時，佛在摩竭提國阿蘭若法菩提場中，始成正覺。」

殊勝利根的人，是這樣來體悟華嚴的正見。這樣殊勝的正見，其實是至廣大、至簡單，沒有障礙，在剎那即可成就；但是對眾生而言，卻不是這麼簡單。大部分的人，都在法界中建立種種葛藤；本來是沒有方向、沒有方位的，偏要建立東、西、南、北方，本來是沒有障礙的，偏偏要立下種種障礙。即使告訴他本來無障礙，他又設立一個「無障礙」，告訴他性起，他又弄一個「性起」，告訴他現前，他又弄一個「現前」。這樣一來就必須一一破除，在這種無法現證華嚴正見的狀況裡，我們就必須使用加行來進入這個正見。

一個真正華嚴行者於正見時，其正見所依，現前所修，一切所行，都是在圓滿的毘盧遮那佛的依、正世界當中，其依報①即是華嚴蓮華藏世界海，正報②即是毘盧遮那佛。對於沒有辦法現證者，我們必須依據《華嚴經》中所說的正見，仔細思惟，慢慢用心思量，以此正想，破除一切思惟思量分別境界。以思惟來破除心裡的障礙，到最後證入無障礙的境界。

註釋

①依報

又名為依果，指有情之身心所依止的一切世間事物。如國土、家屋、衣食等

②正報

指由於過去世之業因而感得的有情之身心生命。乃相對於「依報」（國土世間）而言，又名為正果。

解讀華嚴經

第2章

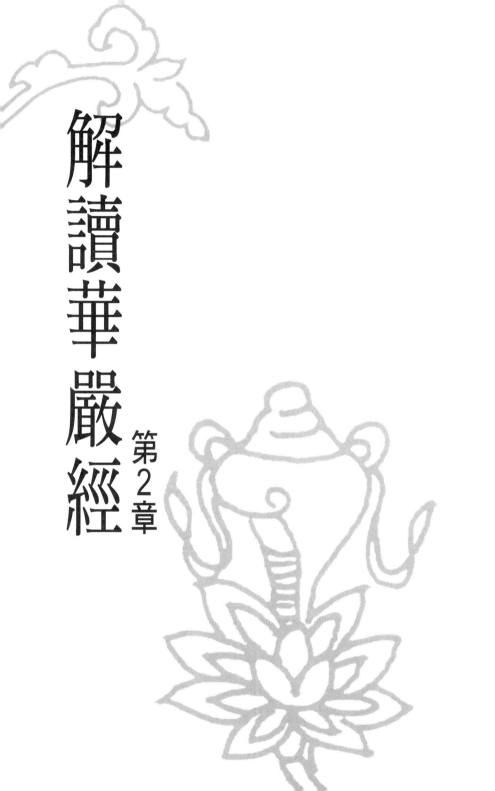

華嚴大會圖（出自《釋氏源流》）

本書主要是以唐朝三藏實叉難陀所譯的《八十華嚴》為版本來做解讀，因此版本文義最為暢達，品目也較完備，本經係由九會的說法組合而成。

第一會是敘述佛陀在菩提場中初成正覺，道場無量妙寶莊嚴，金剛座上的毘盧遮那佛萬德圓滿。十方世界微塵數菩薩乃至金剛力士諸神諸天等各具無量功德一時雲集，各各宣說偈頌讚歎佛陀，所有的華藏莊嚴世界海中一切世界也都同樣入於佛境界（〈世主妙嚴品第一〉）。諸菩薩和一切世間主宣說偈頌請問佛陀，佛陀示現瑞相放光宣說偈頌，又示現諸神變，一切法勝音等菩薩各說偈頌讚歎佛陀（〈如來現相品第二〉）。

普賢菩薩入於佛三昧，蒙受諸佛讚歎摩頂，從三昧起定，十方一切如來放光讚普賢菩薩，一切菩薩也一同頌讚（〈普賢三昧品第三〉）。普賢菩薩以佛陀的威神力，向道場海眾諸菩薩宣說世界海等十事，分別顯示十方剎土的形相和它的原因（〈世界成就品第四〉）。普賢又宣說毘盧遮那往昔修行所嚴淨的華藏莊嚴世界海無量妙寶莊嚴功德，乃至世界海中一切世界的莊嚴和諸佛號（〈華藏世界品第五〉）。普賢又說這是由於毘盧遮那佛過去世為大威光太子時，供養諸佛廣修無量妙行的廣大功德莊嚴成就（〈毘盧遮那品第六〉）。

第二會，敘述佛陀在普光明殿蓮華座上，顯現神變，十方菩薩都來集會。文殊師利菩薩承佛陀的威神力，向眾菩薩稱說佛陀的名號，由於隨應眾生各別知見，於是有無量不同的名號如來為眾說法（〈如來名號品第七〉）。文殊師利又宣說娑婆世界中苦、集、滅、道四聖諦的種種不同的名稱，和十方一切世界無量不同的四聖諦名，都依隨著眾生心，令得調伏（〈四聖諦品第八〉）。

這時佛兩足輪放光，普照十方，各現佛事，文殊師利唱頌稱揚佛陀的無邊功德行願（〈光明覺品第九〉）。文殊師利菩薩又和覺首等九位菩薩反覆問答十種甚深佛法明門（〈菩薩問明品第十〉）。智首啟問，文殊師利答說菩薩身、語、意業動靜語默中為饒益眾生應發起的一四十種的清淨願行（〈淨行品第十一〉）。文殊師利菩薩啟問，賢首菩薩以偈答說菩薩修行的無量殊勝功德，信願不虛，定慧圓滿成就等事（〈賢首品第十二〉）。

第三會，敘述佛陀不遠離菩提樹下，而上升須彌山帝釋宮殿，帝釋莊嚴宮殿，迎請佛入座，並和諸天宣說偈頌讚歎佛（〈升須彌山頂品第十三〉）。十方佛世界法慧等菩薩都共同來集會，各說偈頌稱讚佛陀所修行的無量勝妙功德（〈須彌頂上偈讚品第十四〉）。法慧菩薩由於佛陀的威神力，入於無量方便三昧，受到諸佛讚歎並摩頂，他出定廣說十住的法門，每住中各有聞、修十法（〈十住品第十五〉）。這時正念天子來問，法慧向他宣說修習梵行種種無相觀法（〈梵行品第十六〉）。又天帝釋來請問，法慧向他宣說菩薩初發菩提心所得的種種無量功德，發心便能和諸佛平等，也無所得（〈初發心功德品第十七〉）。精進慧問初發心菩薩如何修習，法慧答說十不放逸，得十清淨，十佛歡喜，十法安住，十法入地，十法行清淨，十種清淨願，十法圓滿大願，十無盡藏等修行的法門和所應得的成就（〈明法品第十八〉）。

第四會，這時佛陀升向夜摩天宮，夜摩天王莊嚴殿座迎請如來，說頌讚佛，佛即入座（〈升夜摩天宮品第十九〉）。功德林菩薩等微塵數菩薩都來集會，十大菩薩各說偈頌稱揚佛周遍法界的行願功德（〈夜摩宮中偈讚品第二十〉）。功德林菩薩由於佛陀的威神力量，入於善思惟三昧，受到諸佛稱讚並摩頂，他出定廣說十行的法門，並一一分別其行相（〈十行品第二十一〉）。功德林又對諸菩薩宣說菩薩十無盡藏的一一行相，由此能令一切行者成就無盡大藏（〈十無盡藏品第二十二〉）。

第五會，這時佛陀又升兜率天，兜率天王莊嚴殿座迎請如來，宣說偈頌讚歎佛陀功德，佛陀即入座（〈升兜率天宮品第二十三〉）。金剛幢等十大菩薩和微塵數菩薩從十佛世界來聚集。各說偈頌稱揚佛陀功德（〈兜率宮中偈讚品第二十四〉）。金剛幢菩薩由於佛陀的威神力，入於智光三昧，受到諸佛稱讚並摩頂，他從定起，向諸菩薩廣說十回向法門，並一一分別解說所修行相（〈十迴向品第二十五〉）。

第六會，敘述佛陀在他化自在天宮摩尼寶殿，諸方世界諸大菩薩都來集會。這時金剛藏菩薩由於佛的威力，入大智慧光明三昧，受到諸佛稱讚並摩頂。他從定起，向大眾說出十地的名稱。這時解脫月等諸菩薩請他解說，佛也放光加以神力，金剛藏菩薩便向大眾演說甚深的十地法門行相（〈十地品第二十六〉）。

第七會，佛陀在普光明殿，普眼菩薩向佛陀啟問普賢菩薩三昧所修的妙行，佛陀教他自行祈請普賢菩薩宣說。這時大眾希望見到普賢菩薩並殷勤頂禮，普賢菩薩才以神力出現，向眾廣說十大種三昧的高深法門（〈十定品第二十七〉）。普賢又向大眾說十種神通（〈十通品第二十八〉）。又向大眾說十種法忍（〈十忍品第二十九〉）。這時心王菩薩啟問，佛陀向他宣說阿僧祇不可說的數量和世間出世間一切諸法不可說的事理（〈阿僧祇品第三十〉）。心王菩薩向大眾宣說諸佛世界的壽量和它們的長短比較（〈壽量品第三十一〉）。向大眾宣說十方諸菩薩和他們的眷屬的住處並常住說法的地名（〈諸菩薩住處品第三十二〉）。這時會中諸菩薩心中希望知道諸佛的國土、本願、種姓、出現、佛身、音聲、智慧、自在、無礙、解脫等不思議事，佛陀便加持青蓮華藏菩薩向蓮花藏菩薩廣說佛陀所住的十不思議法門（〈佛不思議法品第三十三〉）。

普賢菩薩向諸菩薩演說佛陀的身相莊嚴，略說有九十七種大人相，以及十華藏世界海微塵數大人相（〈如來十身相海品第三十四〉）。佛陀向寶手菩薩宣說如來的隨好中各有光明，周遍法界，能夠拔除地獄的痛苦，出生於兜率天，乃至令證得十地等廣大無盡的功德（〈如來隨好光明功德品第三十五〉）。普賢菩薩又向大眾演說佛為解脫眾生結縛，瞋心能障百萬法門，應當勤修十法，具十清淨，十廣大智，得十種普入，住十勝妙心，獲十種佛法善巧智（〈普賢行品第三十六〉）。這時佛陀從眉間放光，名如來出現光，如來性起妙德菩薩向佛請問大法，佛又放光入普賢菩薩口，普賢菩薩便廣說佛以十無量法出現，以十無量百千阿僧祇事得到成就。說罷，諸佛稱讚並為會眾授記，普賢最後說頌勸眾受持（〈如來出現品第三十七〉）。

第八會，敘述佛陀在普光明殿，普賢菩薩入佛華藏莊嚴三昧，從三昧起定，普慧菩薩請問菩薩依、菩薩行乃至佛示般涅槃等二百個問題，普賢菩薩一問十答，分別演說二千法門。諸佛現前讚喜。普賢菩薩再用偈頌重說菩薩的功德行處

（〈離世間品第三十八〉）。

第九會，佛陀在逝多園林，和文殊、普賢等五百大菩薩、大聲聞並無量世主聚會。佛陀以大悲入師子頻申三昧，遍照莊嚴十方世界各有不可說剎塵數菩薩來會，各現神變供養境界。諸大聲聞不知不見。十大菩薩宣說偈頌讚歎佛。普賢菩薩演說這師子頻申三昧的十種法句。佛陀又顯現種種神變、種種法門、種種三昧等相，文殊菩薩偈說頌稱讚，諸菩薩都得到無數大悲法門，從事利益悅樂十方一切眾生。文殊菩薩和大眾辭別佛陀南行，尊者舍利弗和六千比丘也承佛神力發心隨同南行。他們行到了福城東，在莊嚴幢娑羅林中大塔廟處說法，這時善財童子等二千人前來頂禮聽法，發菩提心，其中善財童子一心求菩薩道，說頌問教，文殊師利指示他去求訪善知識，善財童子便輾轉南行參訪了德雲比丘乃至彌勒菩薩等五十三位善知識，聽受了無數廣大甘露法門，最後見到普賢菩薩，由於普賢的開示，次第得到普賢菩薩諸行願海，終於證入法界。最後普賢菩薩說頌稱揚佛的功德海相（〈入法界品第三十九〉）。

以上是唐譯本九會三十九品的內容概要。以下章節則以每一單品來解讀。

〈世主妙嚴品〉解讀

〈世主妙嚴品〉乃《大方廣佛華嚴經》的第一品，篇幅長達五卷。宣講《華嚴經》的時、人、事、物、地等等因緣條件，以及描述大會的代表與眷屬來到時，種種殊妙莊嚴的景況。

「世」即世間，世間的意義有器世間、眾生世間、智正覺世間三種。「主」意指君、王。器世間主，就是指地神、水神、林神、山神等等；眾生世間主，就是指天王、龍王、夜叉王等等；而如來就是智正覺世間主。又佛陀與菩薩都是能夠化導所有眾生，所以當然也包納器世間主、眾生世間主，而成為總世間主。所以在此就統稱為「世主」。

「妙」指理深廣不可思議、事圓融殊勝；「嚴」即嚴飾、莊嚴之意，合起來是：在理、在事都是深廣不可思議之莊嚴。所有來此大會瞻禮大世間主、佛陀的各世間主，不僅數目無量無邊，且皆具有各種不可思議的事相、不可思議的法門嚴飾。彼此之間又互相莊嚴，於是成就此華嚴大會海。

本品大約分為五大段：一、始成正覺。二、菩薩及三十九眾來聚集。三、介紹三十九眾及菩薩的解脫門。四、師子座中出菩薩。五、華藏世界海起六種震動。

佛陀初證無上正等正覺

本經開始的人物是釋迦牟尼佛，地點是在摩竭提國阿蘭若①法菩提場中，當時佛陀才初證得無上正等正覺，圓滿菩提道而成佛。

佛陀在菩提樹下成正覺時，各種莊嚴殊妙的境界都一一地示現，如他的每一毛孔的尖端，都能容受一切世界而沒有任何障礙，他的身相遍滿十方的法界，卻不見任何的來往等境界，無量的菩薩、眾神、世主都共同來讚歎莊嚴佛陀的成就正覺。

佛陀的身體、語言、心意三密作用

經中記載：爾時，世尊處于此座，於一切法成最正覺，智入三世悉皆平等，其身充滿一切世間，其音普順十方國土。譬如虛空具含眾像，於諸境界無所分別。又如虛空普遍一切，於諸國土平等隨入。身恒遍坐一切道場，菩薩眾中威光赫奕，如日輪出照明世界。三世所行眾福大海悉已清淨，而恒示生諸佛國土。無邊色相圓滿光明，遍周法界等無差別。

這時，世尊端坐在師子寶座上，於一切法當中成就了無上正等正覺。他的智慧普遍入於過去、現在、未來三世之中，就是超越一切的時間，一切現前平等，破除一切世間的障礙。佛陀的身體遍滿一切的世界。微妙的音聲順暢的遍滿十方的國土。

由此段經文我們可以了知：這是佛陀的身體、語言、心意三密作用。「智入三世悉皆平等」是意密的作用，「其身充滿一切世間」是身密的作用，「其音普順十方國土」則是語密的作用；這幾句話已經顯示出華嚴的境界了。華藏世界海都是在世尊身土一如的境界當中，其身充滿一切世界，其音普順十方國土。

「譬如虛空具含眾像，於諸境界無所分別。」佛身宛如虛空一樣，具含所有的影像，能顯現其境界，但是對於一切境界又完全沒有分別；這是法性緣起的一個現象，隨拈一處都是華嚴的正見。

「又如虛空普遍一切，於諸國土平等隨入。」這代表佛身的作用，它不只是具有像虛空能具含眾像，於諸境界無所分別的體性，而且也有宛如虛空一般，遍布於一切，能平等隨順的進入一切國土。

「身恒遍坐一切道場」，這是指毘盧遮那佛身遍滿一切世界，又能夠從遍滿一切世界的佛身當中，示現遍坐一切道場。所以說佛陀以自身安坐於自身，以自身示現於自身，這是其不可思議相印相攝的情景。

而相應於菩薩眾當中，佛陀是如何顯示呢？經中說：「菩薩眾中威光赫奕，如日輪出照明世界。」佛陀的威德光明無邊的顯赫與莊嚴，宛如太陽出現，普照世間，與菩薩眾相應；在菩薩眾中是最殊勝的，最光明的，能夠照明一切世界。這世界的本身即是其自身，其於世界中示現照明自身。

「三世所行眾福大海悉已清淨」，佛陀安住於平等無障礙的華嚴法界海，又回落到三世；本來已經超越三世，又回落到三世，在三世中示現最殊勝的境界，所以是具足無邊的福德大海，已然圓滿清淨。

「而恒示生諸佛國土，無邊色相圓滿光明，遍周法界等無差別。」在本來平等無差別當中，恒常示現於諸佛國土，而且具足三十二相、八十種好的無邊微妙色相，具足無量的圓滿光明，周遍一切的法界。

閱讀這樣的一段經文，如果能夠產生同樣的體悟，其實你已經讀完《華嚴經》了。但是如果只是泛泛地讀過去，並不了解經文的敘述解說也不具任何意義。

經文之所以如此呈現當然有其用意，它將最究竟的境界不厭其詳地仔細說明，最後又回到最圓滿的境界；這就是華嚴的正知見，也是正行。

如果了知華嚴正見，並以此為自己的正見時，便是具足了華嚴的正見。了知正見之後，安住於正見並依此修持，就是所謂「修」的過程；安住於此正見而融入生活當中的話，就是所謂「行」的階段。能當下安住於華嚴正見，並證入此正見，無二差別，體性如是而圓滿現起毘盧遮那佛的境界，那麼見、修、行、果就同時具足了。

從思惟下手，會有迂迴的缺點，而當下安住華嚴正見——隨因隨緣、隨拈一處即是遍周法界，等無差別，更是不容易，這是兩難。

◆理事無礙的境界

經中記載：演一切法如布大雲。一一毛端，悉能容受一切世界而無障礙，各現無量神通之力，教化調伏一切眾生。身遍十方而無往來，智入諸相了法空寂。三世諸佛所有神變，於光明中靡不咸覩；一切佛土不思議劫，所有莊嚴悉令顯現。

「演一切法如布大雲」，這是說明佛陀演說一切妙法，宛如天上廣布的宏雲一般。

「一一毛端，悉能容受一切世界而無障礙。」當我們讀誦了這經文，如果能夠確實了知每一毛端，都能容受一切世界、而沒有任何障礙的正見，即是「理無礙」的實踐。如果能確實證得諸佛都是如此，並且有時自身也能如是顯現，這即是「事無礙」的境界。如果正見之「理」與「事」相容無礙，且能夠時時現起，時時觀照到此境界，這是「理事無礙」的境界。如果現觀一切，遍前一切諸佛都是「一一毛端，悉能容受一切世界而無障礙」，乃至現觀一一眾生都是如此，就是「事事無礙」的境界。這是從眾生的立場來體會。

從諸佛的立場來講，我們都是在諸佛的毛孔之中，都已經是在諸佛不可思議神通加持當中，諸佛從來沒有遠離過我們。他們是現前時時無間地加持眾生，加持我們到達佛陀的境界。假若能夠如是體悟，就能得到「加持成佛」。如果每一個當下都能夠加持成佛，就是「現證成佛」了。

當我們每一個當下都圓滿現證成佛，就是毘盧遮那如來，以《華嚴經》而言，就是「現前毘盧遮那如來」；以《法華經》而言，就是「久遠實成毘盧遮那如來」；以《大日經》而言是大日如來，以藏密紅教而言是普賢王如來，在白教中是金剛持；匯歸而言，就是在阿蘭若法菩提場中，始成正覺的毘盧遮那佛，也就是釋迦牟尼佛。

對於一些不能了悟這甚深妙理的人，在判教的分別上面，各派常會認為自己的派別較為殊勝，但其實每一位佛陀都是在法性境地，都在普光明地當中，每一位佛陀都是平等的，他們之間哪有什麼差別呢？

「身遍十方而無往來」，佛陀的身相遍滿十方，但是不見任何往來，這是佛陀在空間上的境界。

「智入諸相了法空寂」，佛陀的智慧普遍進入一切的現象中，能夠了知諸法的空寂，這是指時間跟心量；以整個法界現起，其可說是心、意識和空間的複合體。心造作形成意識，這意識是時間體，意識互相交應、互相交融，互相產生差別的意像。從其中又拉出空間，空間與空間交互的交涉，產生了距離，產生了方位，產生了整個複合的宇宙體。

這說明佛陀不僅破除空間的障礙，破除時間、意識、心的障礙，而又能夠在時間、在空間中無限延伸。

「三世諸佛所有神變，於光明中靡不咸覩。」三世諸佛的「三世」是指時間，是過去、現在、未來三世。三世諸佛所有的神通變化，在光明之中無不清晰可見。十方三世不就在此嗎？諸佛不是在空間中都佔有一個位置嗎？所有的神變就是時間、空間玩出來的遊戲。神變裡面有作用，相續的時間又有空間，所以時間、空間當中的所有作用，都在光明裡面全部示現。這光明又是如海的印照力量，如幻如化又如實，這就是「十方三世同時炳現」的境界。

「一切佛土不思議劫，所有莊嚴悉令顯現。」諸佛國土從不可思議劫以來的所有莊嚴，也在光明中普遍顯現。讀到這裡，如果我們能夠安住在毘盧遮那如來的智慧境界海當中，也就是在華嚴世界海中。

◆大眾雲集的如來道場

經中記載：爾時，如來道場眾海悉已雲集，無邊品類周匝遍滿，形色部從各各差別，隨所來方親近世尊，一心瞻仰。此諸眾會，已離一切煩惱心垢及其餘習，摧重障山見佛無礙。如是皆以毘盧遮那如來往昔之時，於劫海中修菩薩行，以四攝事而曾攝受。

這時，如來道場上如海潮般的大眾，全部都雲集在一起。他們品類無數遍布各處，各自有其形體色相、眷屬與部下。他們各從一方來到這裡親近、瞻仰世尊，一心充滿了仰慕。這些如來道場上的大眾，均已遠離一切煩惱，斷除煩惱所出生的心垢習性，也超越了山嶽般高聳深重的業障，而能無礙地親近佛陀。這麼多的眾生，都是毘盧遮那如來在過去無數劫的時間中，廣修菩薩聖行，以布施、愛語、利行、同事等四攝法，所攝受過的一切眾生。

這裡一開始便提出法性世界海，再來則是因緣起滅，不錯謬的因緣實相，這兩者沒有任何衝突，完全等同；大眾從最深的感受，最深的體會，直接赤裸地依據其體受，而宣說偈頌。

這如雲的大眾中，其中有一位妙焰海自在天王，他是大自在天王，屬於四禪天，是大自在天王中的領袖；他證得了法界、虛空界寂靜方便力解脫門；這個解脫法門能照耀整個佛陀妙身，徧滿整個法界虛空，無邊無際，但其體性卻是寂滅無性不可取，而具足一切方便與威力，能夠救度世界的一切。他如此顯現，這是屬於事事無礙的境界。其在事上面如此顯現，在理上面，是法性上無礙的境界。

◆承受佛陀的威神力

經文接著是介紹三十九眾及菩薩的解脫門。「爾時，妙焰海天王承佛威力，普觀一切自在天眾而說頌言。」

這裡面很有意思，大自在天王的領袖「承佛威力宣說偈言」；我們要瞭解，在此處都是「承佛威力」。

所謂「智入三世，悉皆平等」，我們心中所現起的境界，就是「承佛威力」，在這種境界當中，如果我們能夠完完全全承受佛陀的威神力，那麼我們現前就成佛了；如果在每一剎那都能夠加持成就，就是現前成佛，其作用不僅是佛陀單向加持我們而已。所以妙焰海天王承受佛陀的威神力，普遍觀察一切大自在天眾而宣說偈頌。

接著以下每一個天王，他們都證得一個解脫門。「可愛樂法光明幢天王」證得「普觀一切眾生根為說法斷疑解脫門」，他是廣果天天王，也就是屬於四禪天的天王來宣說偈頌。這些天王承著佛陀的威神力，對著他們的天眾來宣說；這是從一個全體不可思議的法界當中，相對於因緣所宣說的法要。

在此我們要有所體會，一切的聲音，如風聲、水聲、樹聲，全部都是佛陀的法音，所以如來八萬四千偈，一葉一如來，一花一世界，都是顯現華嚴的境界。當我們一隻手拈著一朵花，感覺到自己已經進入花的世界，雖然這隻手比這花大，但是我們會發覺到，這花能含容我們無始無限的手，而我們身上的毛孔又把這花攝入，這一一毛孔中的花又攝入我們的身體；我們的一個毛孔又能攝入百千萬億不可思議的花，又毛孔中的毛孔也都能相攝相入這些現象，如此相即相攝重重無盡就是華嚴的境界。

接下來是遍淨天，即三禪天的清淨慧名稱天王，亦承著佛陀的威神力，普遍觀察一切少淨天、無量淨天、遍淨天眾，宣說偈頌。接著是可愛樂光明天王，他是光音天天王；再來是尸棄梵王，為初禪天的天王；接著自在天王是屬於欲界第六天，善化天王是屬於欲界第五天，知足天王、時分天王則是欲界第四、第三天，再來是釋迦因陀羅天王，這是帝釋天王；還有日天子、月天子、乾闥婆、鳩槃茶、天龍八部乃至主晝神、主風神、主山神等等及菩薩大眾，都接續起來宣說偈頌。

這些大眾相繼宣說偈頌，宣揚佛陀出世的不可思議；從這樣的境界當中，我們應該了悟整個《華嚴經》不可思議的世界。佛陀是很慈悲的，他如此拈出聽法的大眾，是因為我們眾生有無邊無際的因緣，有天、人、天龍八部、山神、水神等不同的眾生，所以他以無邊無際的因緣來相應於一切眾生，來教化我們。

這些與會的一切世間主，各自證得種種的解脫門，且陸陸續續承佛威神力，起而宣說其各自所證解脫門的內容，來稱揚佛陀所證法門無量無邊不可思議。

到了卷五末，諸位大菩薩眾宣說偈頌完之後。

經中記載：爾時，華藏莊嚴世界海以佛神力，其地一切六種，十八相震動。

這時，由於佛陀威神力的加持，華藏莊嚴世界海中的大地揚起了一切殊勝的六種十八相的震動。

這是佛陀的聲音、種種的莊嚴、種種的三昧、種種的主導法，這些都是輔助我們進入華藏世界海的前行。

在此得特別注意，要進入華藏世界海，一切正法的思惟，都可以當做是《華嚴經》的正見加行；例如：我們對三法印的思惟，對四聖諦的思惟，對五停心觀的思惟，這些我們都要把它昇華，匯入華嚴的正見。我們可以從「事」上來體會。主夜神對夜神眾宣說，主火神對火神眾宣說，他化自在天王對他化自在天眾宣說；雖然看來似乎有種種不同說法，但正見皆匯入華嚴世界海。相上如是，法上亦如是。

如果能夠現前安住在華嚴正見裡面，那麼我們就能攝受一切諸法的正見而無有障礙；如果不能夠時時安住在其中，可以先用思惟，在正法中思惟分別這些法印是否有錯謬。要思惟這些法印是否錯謬，必須修習《華嚴經》，再把這些法印昇華到華嚴的正見。

註釋

①阿蘭若

意譯為「無諍」或「寂靜」，指閑靜之處。

〈如來現相品〉解讀

在〈世主妙嚴品〉當中，述說諸菩薩、天神大眾都已經集會來此；於是〈如來現相品〉一開始，一切世間主、菩薩眾就共同生起心念發問如來三十七道問題。如來顯現了許多瑞相，以為說法之前的行儀法式，所以才稱為〈如來現相品〉。

世界安立好了，如來出現，依如來示現的威力加持眾生，加持世主；世主安立之後，如來出現，法性如是，緣起法爾如是。

本品大致可分為五個段落：一、一切菩薩、世間主共請法要。二、如來放光，召集十方世界菩薩眾。三、十方世界菩薩眾與眷屬來集，雨雲供養如來。四、如來示現瑞相。五、菩薩大眾稱揚佛陀功德。

◆三十七個提問

經中記載：爾時，諸菩薩及一切世間主，作是思惟：「云何是諸佛地？云何是諸佛境界？云何是諸佛加持？云何是諸佛所行？云何是諸佛力？云何是諸佛無所畏？云何是諸佛三昧？云何是諸佛無能攝取？云何是諸佛眼？云何是諸佛耳？云何是諸佛鼻？云何是諸佛舌？云何是諸佛身？云何是諸佛意？云何是諸佛身光？云何是諸佛光明？云何是諸佛智？唯願世尊哀愍我等，開示演說！

又，十方世界海一切諸佛，皆為諸菩薩說世界海、眾生海、佛海、佛波羅蜜海、佛解脫海、佛變化海、佛演說海、佛名號海、佛壽量海，及一切菩薩發誓願海、一切菩薩發趣海、一切菩薩助道海、一切菩薩乘海、一切菩薩行海、一切菩薩出離海、一切菩薩神通海、一切菩薩波羅蜜海、一切菩薩地海、一切菩薩智海。願佛世尊亦為我等，如是而說！

這時，所有的菩薩以及一切世間的主宰眾神，心中都生起如是的思惟：

到底什麼是諸佛的境地？什麼是諸佛的境界？什麼是諸佛的加持現象？什麼是諸佛的所行所為？什麼是諸佛的威力？什麼是諸佛的四種無所畏①之法？什麼是諸佛的三昧正定？什麼是諸佛的神通力？什麼是諸佛的自在無能攝取、無能制伏的勝法？什麼是諸佛的眼根？什麼是諸佛的耳根？什麼是諸佛的鼻根？什麼是諸佛的舌根？什麼是諸佛的妙色身？什麼是諸佛的心意？什麼是諸佛的色身光明？什麼是諸佛的智慧光明？什麼是諸佛的音聲？什麼是諸佛的智慧？現在，衷心的盼望世尊能哀愍我等大眾，為我們開示演說。

而且此時，十方世界海的一切諸佛，都為諸菩薩解說廣大無邊的世界海、無量無邊的眾生海、無數的佛海、佛所開示到達涅槃②彼岸的波羅蜜海、佛陀的解脫境界大海、佛陀的神通變化海、佛陀的演說妙法大海、佛陀的無量名號海、佛陀的壽量海，以及一切菩薩誓願海、一切菩薩發心趣向菩提海、一切菩薩菩提福德智慧助道海、一切菩薩乘海、一切菩薩行海、一切菩薩出離諸業海、一切菩薩神通海、一切菩薩修證到達彼岸的波羅蜜海、一切菩薩修行境地海、一切菩薩智慧

台北郵政第26～341號信箱

全佛文化事業有限公司

廣告回信
台灣北區郵政管理局登記證
北台字第8490號

地址：
請寫郵遞區號……
市 鄉鎮
縣 市區
路(街) 段 巷 弄 號 樓

姓名：

全佛文化事業有限公司
讀者回函卡

請將此回函卡寄回，我們將不定期地寄給您最新的出版資訊與活動。

購買書名：＿＿＿＿＿＿＿＿＿＿＿＿＿＿＿＿

購買書店：＿＿＿＿＿＿＿＿＿＿＿＿＿＿＿＿

姓　　名：＿＿＿＿＿＿＿＿＿＿　性　　別：□男　□女

住　　址：＿＿＿＿＿＿＿＿＿＿＿＿＿＿＿＿

E-mail：buddhall@ms7.hinet.net

http://www.buddhall.com.tw

連絡電話：(O)＿＿＿＿＿＿＿＿　(H)＿＿＿＿＿＿＿＿

出生年月日：＿＿＿＿年＿＿＿＿月＿＿＿＿日

學　　歷：1.□高中及高中以下　2.□專科　3.□大學　4.□研究所及以上

職　　業：1.□高中生　2.□大學生　3.□資訊業　4.□工　5.□商
6.□服務業　7.□軍警公教　8.□自由業及專業　9.□其他＿＿
職務：＿＿＿＿　修持法門：＿＿＿＿　依止道場：＿＿＿＿

本書吸引您主要的原因：
1.□題材　2.□封面設計　3.□書名　4.□文字內容　5.□圖表
6.□作者　7.□出版社　8.□其他＿＿＿＿＿＿

本書的內容或設計您最滿意的是：

＿＿＿＿＿＿＿＿＿＿＿＿＿＿＿＿＿＿＿＿

對我們的建議：

海。希望佛陀世尊也能為我們解說這些妙法。

就一個華嚴的修行人而言，一切成佛的見地，全部都屬於華嚴的正見。一切現前如是明白，如是匯通，匯通一切，就是現前法界；匯通之後，整個世界，無量無邊的世界，就是「諸佛華嚴之流性」。就分別而言，我們可以了知這一切世間的正見，完全攝入整個諸佛華嚴的流性，從諸佛華嚴的流性之中，又生出種種的無量華藏海。這些問題，就是十方世界一切諸佛皆為菩薩所演說的。

此一問題所問的三十七道問題，關係著後來各品的內容，大致分為四大類：

一、諸佛地、諸佛境界、諸佛加持、諸佛所行、諸佛力、諸佛無所畏、諸佛三昧、諸佛無能攝取，共八問。

二、諸佛眼、諸佛耳、諸佛鼻、諸佛舌、諸佛身、諸佛意、諸佛身光、諸佛光明、諸佛聲、諸佛智，共十問。

三、世界海、眾生海、佛海、佛波羅蜜海、佛解脫海、佛變化海、佛演說海、佛名號海、佛壽量海，共九問。

四、一切菩薩誓願海、發趣海、助道海、乘海、行海、出離海、神通海、波羅蜜海、地海、智海，共十問。

以上這種種的問題，在往後的各品中會給予各種方式的解答。

◆佛陀的五種瑞相

如來在這一品中，現出五種瑞相：

第一、面門眾齒間放光相。

此大光明普照十方各一億佛剎微塵數世界海，讓十方世界海一切菩薩及其眷屬，蒙佛光明，都來到此華藏世界前。

第二、放眉間光相。

佛陀欲令一切菩薩大眾得證於如來威力無邊的神通境界，從眉間放出微妙的光明。

第三、普遍震動連繫一切世界之網相。

在這世界網的一一塵中，均示有無數的佛陀，以警策、提振大家。

第四、佛前現華相。

在佛陀的身前，現出一朵巨大的蓮花，這大蓮華具有十種莊嚴，正表華嚴世界與教義之不可思議。

第五、白毫出眾相。

在如來白毫相中，有世界海微塵數諸菩薩眾，俱時而出，有表徵教法由佛陀所出之意。

經中記載：爾時，世尊知諸菩薩心之所念，即於面門眾齒之間，放佛剎微塵數光明。

佛陀從牙齒裡面放出光明是什麼樣的因緣呢？是為了要召集一切有緣眾生。佛陀要從口中宣說不可思議的佛境界，放光召請世界海眾，所以佛陀於齒中放出無量光明之後，十方世界的一切海眾生都來了，東、南、西、北、上、下等十方世界海，不可思議、不可思議世界海的眾生都來了。

經中記載：爾時，世尊欲令一切菩薩大眾得於如來無邊境界神通力故，放眉間光，此光名一切菩薩智光明，普照耀十方藏。其狀猶如寶色燈雲，遍照十方一切佛剎，其中國土及以眾生悉令顯現。又普震動諸世界網，一一塵中現無數佛。

隨諸眾生性欲不同，普雨三世一切諸佛妙法輪雲，顯示如來波羅蜜海。又雨無量諸出離雲，令諸眾生永度生死。復雨諸佛大願之雲，顯示十方諸海世界中，普賢菩薩道場眾會。作是事已，右遶於佛，從足下入。

這時，世尊為使一切菩薩得證於如來威力無邊的神通境界，便從眉間放出微妙的光明，其名為：一切菩薩智慧光明，普遍照耀十方寶藏。這個光明之形猶如眾寶妙色匯成的燈光雲影，普照十方一切佛陀的剎土，令一切國土及眾生都顯現其中；又普遍震動連繫一切世界之網，在此世界網的一一塵中，均示現有無數的佛陀；又隨著眾生個性意欲的不同，紛紛如雨的落下三世諸佛的妙法輪雲，顯示諸佛如來度化眾生到彼岸的波羅蜜海；又落下了無數能出離一切苦厄之雲，令眾生永度生死之河，達到解脫；也落下諸佛大願之雲，顯現於十方一切世界中。

這眉間光明，在普賢菩薩道場上聚會的大眾前，作了如上不可思議的法事後，遶行於佛陀的右側，再從其足下攝入。

從足下入，代表步步往上修行。具足了華嚴正見之後，要開始步步進入如來境界，步步進階。

佛陀有時候從眉間放光，有時候從齒間放光，有時候從心輪間放光，有時候從足趾間放光；每一個地方所放射的光明，都相應於不同的境界，但無論從那裏放光，都是從菩薩的頂上注入。有時候這光明出去之後，還會迴轉而來，這是不一定的，要看因緣。但是在此，如來從身中放出光明，從身中示現出種種相，這些都是在標舉一個不可思議的佛、如來境界。在這個境界裡面，如來已經標示出如來果地的境界，讓我們安住於此，而後進入普賢三昧，再從普賢三昧證明這是因果不二的境界。

這五種瑞相出現後，十方世界諸菩薩與從如來白毫流出的菩薩眾，各由代表以偈讚頌佛陀不可思議功德，而參加者無量無邊、交互映現的華嚴大會就正式開始了。

註釋

①佛四無所畏

佛對眾生說法時有四種無所畏，即：一、一切智無所畏；二、漏盡無所畏；三、說障道無所畏；四、說盡苦道無所畏。

②涅槃

又作「般涅槃」、「洹泥」，意譯作「圓寂」、「滅度」。指圓滿一切智德，寂滅一切惑業的境地。此乃超越生死的悟境，亦為佛教終極的實踐目的。

〈普賢三昧品〉解讀

〈普賢三昧品〉，「普賢」是說法者普賢菩薩的稱號，「三昧」意譯為正定，正定不亂所以能受諸法，所以又稱為「正受」；正定能發生正慧，使定慧等持，對諸法亦能等持，所以也稱為「等持」。「三昧」則表示展現的法用。這是人與法合舉的形式，所以合起來可以說是：普賢的三昧，三昧是普賢所有；又三昧境界名為普賢，所以普賢即三昧。

就其意義而言：理智無邊名之為「普」，智隨根益稱之為「賢」。又普賢在佛教中是佛法界大智之家，諸佛萬行遍周之長子。

前面二品的經文中敘述了大眾的集聚，而且也已提出三十七道問題需要解決。所以這一品，是為了在解答問題之前，所做的預備示現。這個正式解答問題的預備示現就是：入於不可思議的禪定。也就是普賢菩薩在毘盧遮那如來前，入於「一切諸佛毘盧遮那如來藏身三昧」。所以經文共分四部分：一、入三昧及其法用。二、入此三昧的行願力與境界。三、起定。四、諸佛菩薩的讚歎。

◆入於三昧

為什麼要先入於三昧，再解答問題呢？首先是「非證不宣」的緣故。說法者在大眾中將其所證得的境界顯現，使與會者能夠同沾其德，而闡明其所宣說是有所根據的，並非虛妄不實。並且以「三昧可入」、「由俗入真」的方式，來示現修行的法則、次階。否則，實際上普賢菩薩常在三昧中，本無出入的問題。另外，也藉這個過程，來展現三昧出入的差異與相同的相貌，善於選擇眾生業海果報、佛行業海果報。然而，這其中最主要的用心全在於要教化眾生，令眾生迷惑開解。

普賢菩薩所進入的三昧，名稱是「一切諸佛毘盧遮那如來藏身」。「毘盧」是光的意思，「遮那」是指種種遍照，「如來」是法性之體，而「藏身」是含容眾法的智慧。由三昧的名稱看來，這個三昧是以法性智慧種種教行之光明，依隨著眾生的根器不同，來照燭眾生，使他們全部都得到法益。

這個境界能匯入一切諸佛平等性海，能於法界示現眾影像，廣大無礙，同於虛空。「法界海漩，靡不隨入。」這樣體會之後，證入毘盧遮那如來的正見時就能夠鞏固，如此所行，一切即是毘盧遮那如來的法界海漩，即是法性海，一切毘盧遮那如來現前的見地，一切皆是如是如是、如實如實、實相實相、現前現前。這現前現起是法緣，海印三昧所映照，不落入思惟分別，現前即是蓮華藏世界海。

一切現前就是圓滿，一切現前就沒有兩邊，就沒有對立。已故陳健民上師曾詮釋《原人論》的「原人」二字：什麼是原人？當下即原，「當下即原」才是原人的根；錯解的話，就會以為原人是梵或上帝等。「原」，不是有一個原來的東西，而是當下裡面不分別，當下現起即是。有些行者以透明的水晶球來比喻華嚴境界，無邊無盡透明的水晶球。而華嚴之圓的見地並非如此，是圓滿的「圓」而不是圓球的「圓」，再者廣大無邊怎麼會有個「圓」呢？

我曾經練習觀想法界如無邊的水晶圓球，觀想法界如一圓球，但是，觀想至最後，是連圓球也消失了。最後的觀想一定要破除圓球，只有連圓球也除掉，全體的實相才會同時俱起。已故的陳建民上師在《曲肱齋》中記載的「法界大定」是：「十方法界無邊，三世流通不盡，最後一念萬年去」。如果行者以前述的水晶球、圓球來做為觀想的基礎，而沒有馬上又破除圓球，實相是無法全體現起的。只有先使用這個觀想基礎，再破掉之後才會全體現前。任何的觀想基礎都只是方便，但是有時候反而會障礙到真實，這是要注意的。

所以，此三昧基本上是以法界根本智為體，以差別智、隨眾生智為大用。所以才說此三昧：能普遍趣入一切佛陀的平等體性當中；能夠在法界當中示現一切的影像，如同虛空一般廣大無礙；能隨順著法界如海漩般轉動，而進入一切法界海中；又能夠出生所有一切的三昧妙法，普遍包容含納十方的法界，含藏著所有使菩薩解脫的佛力智慧等等。這都說明此三昧之用徹遍一切眾法，體用廣大，甚深無盡。

入此殊勝不可思議的三昧後，十方一切諸佛共同讚歎十方一切諸普賢菩薩，說明普賢菩薩能證得這個殊勝三昧的緣故。因為這個三昧的殊勝，所以這裡所提到的普賢菩薩，並不是單獨的在一尊佛陀座前的一尊普賢菩薩而已，而是「世界海微塵數般的諸佛剎，每一佛剎又有世界海微塵數般的諸佛，一一佛的座前，又有世界海微塵數般的普賢菩薩」，如此一來，等於有世界海微塵數的三次方的普賢同時在此顯現、問答！

它們對一般人而言，是在表達無盡無量的時空與人物；但對於佛菩薩而言，卻是雖然無量的眾多，但依然是可了知的。而且對我們而言，一層層的展現，一次次的擴開，足以讓我們隨著文句心眼大開，進而了解無盡無量之不可思議！

所謂的「世界海微塵數」就是如大海那麼廣大的所有世界微塵的數量。一個世界所有微塵的數量已經難以數計了，又何況所有世界海的微塵數！又何況在世界海微塵數中每一微塵中又有世界海微塵數般的無量諸佛！又何況在這個無量諸佛的一一佛前，又有世界海微塵數的普賢菩薩！這樣的景況，有豈是說壯觀能表達的？在這裡，處處顯示華嚴世界的廣大無邊，無量又無盡啊！所以讀誦本經典，已絕非單調的一人一物了！

◆從三昧起定

接著，經中說明得此三昧的緣故，再顯現證得此三昧法的種種智慧境界。諸佛摩頂普賢菩薩，以為認可。普賢菩薩從三昧起定，同時也從一切世界海微塵數的三昧門中起定，由此可知此三昧的含藏度之廣大，而所有的菩薩大眾也因此獲得種種利益。

經中記載：爾時，普賢菩薩即是從三昧而起，從此三昧起時，即從一切世界海微塵數三昧海門起。

這時，普賢菩薩從毘盧遮那如來藏身三昧的境界中安詳而起。從這個三昧起定時，也立即從一切世界海微塵數的三昧海門中起定。

這段經文是在鞏固《華嚴經》的正見，也就是說：一切三昧都是無盡緣起的三昧。當我們心中的執著完全脫落，安住在華嚴性海的境界之時，我們即是安住在華嚴性海的三昧本身，就能使無量三昧現起。如是了知，如是見地，心中的執著一分一分的脫落，安住在華嚴體性當中，鞏固、安住，這就是華嚴的修持。從此起行之時，一切世界海微塵數三昧海門，即是一切眷屬三昧都會現起，整個法界三昧都現起。這時候承啟大行，剎那之間圓滿整個無量的世界海。

也許有人會問：「達到以上的境界要多久的時間？要下多少功夫？」時間多少與下多少功夫的問題，顯現出提問者的執著自身，這是一個很深的執著，這是很根本的我見。如果破除了這個，則一切諸佛所行的三昧，即是其三昧啊！

經文中有：「入三昧」、「起三昧」，其實這是方便的說法，為什麼從這三昧有入有出？就整個法界體性而言，法界體性並沒有出入的問題，從來就是在諸佛的金剛三昧當中。我們也在金剛三昧當中，但是在現起宛然之中，我們並不自覺；所以，普賢菩薩就安住在普賢菩薩的位子，毘盧遮那佛就安住在毘盧遮那佛的位子，要說法的時候，再從三昧中起。此時有所謂的：從三昧中起，又有入定，有行；行的時候不是安住於三昧，所以有起定，有入定，有般舟三昧……等，這是緣起宛然。

◆一切現起

普賢菩薩就此三昧而起時，即是從一切世界海微塵數三昧海門起。這是說他證入此三昧時，看來雖然只是證入一個三昧，但是實際上他同時也證入了一切三昧海門，所以起定時，也是一切現起的。為什麼「現起」呢？因為從三昧起時，就具足那個三昧的大作用，就像《法華經》中，佛陀進入無量義三昧後，才從三昧中起來宣講《法華經》。一般而言，佛陀會視相應的因緣入於某種三昧，宣講某部經典，或是入於某個三昧來加持眾生；佛陀具足這樣的大作用，有時候在三昧中說法，有時候出定說法，這是方便因緣。

經中記載：普賢菩薩從三昧起，諸菩薩眾獲如是益。

為什麼普賢菩薩從如是等三昧海門起定時，其諸菩薩一一各得世界海微塵數三昧海雲？為什麼他起三昧後，其他菩薩得三昧？這是加持力故。在如是世界中，普賢菩薩從三昧起，諸菩薩眾獲如是益。從此三昧海門起的時候，因為這個三昧有大作用，所以具足這種加持力。有時候諸佛從三昧起、入時，都有其加持利益，這是法界體性。有時也在其中又現出種種殊勝、不可思議的境界，就像光明中還可以加裝霓虹燈一樣，更加光明。

經中記載：爾時十方一切世界海以諸佛威神力，及普賢菩薩三昧力故，悉皆微動。

這是普賢菩薩的三昧威力，造成十方一切世界海，悉皆微動。因為普賢菩薩的三昧威力與諸佛的威神力，所有一切世界都起輕微震動，都有眾寶莊嚴，都發出微妙的音聲演說諸佛法要。而且在一切眾會道場中飄下十種大摩尼王雲！一切如來放大光明而說偈頌讚歎普賢菩薩，一切菩薩大眾亦共同讚歎之！此品就在普賢的三昧威力與諸佛菩薩的讚歎聲中結束。

〈世界成就品〉解讀

〈世界成就品〉其主要內容在宣示一切世界海，也就是如來的依報。

在這一品中，普賢菩薩為了回答第二品所提的問題，而廣釋世界海成就的種種因緣，使眾生免於閉塞、拘於權小，而開啟無邊、無盡、無礙、無二的圓融境地。

「世」是指三世，即過去、現在、未來。「界」指空間、界線。「成就」即能成、完具之緣，從因到果的種種因緣。經文還是以一大段散文再接一首偈頌的方式進行，偈頌皆是將散文所宣說的內涵加以歸納總持而成的。所以本品經文可分為三部分：一、遍觀十種海義。二、宣說佛陀不可思議智慧，並為眾生的緣故而宣說法要。三、宣說世界海成就之十事。

◆普遍觀察十種海

普賢菩薩從「毘盧遮那如來藏身三昧」中起定後，開始要宣說諸法要，宣說前先普遍觀察十種海。這裡的「海」，不是海洋的海，而是一種比喻，比喻廣大無邊，含藏容納。

普賢菩薩在「普賢三昧品」入於三昧之中，是內在地契合於本源；這一品一開始普遍觀察，是外在地審視於萬相。他所觀視的十海包含有：世界海、眾生海、諸佛海、法界海、眾生業海、眾生根欲海、諸佛法輪海、三世海、如來願力海、如來神變海。這十種意義可以分為三組：

一、時間與空間——世界海、法界海、三世海。

二、佛——諸佛海、諸佛法輪海、如來願力海、如來神變海。

三、眾生——眾生海、眾生業海、眾生根欲海。

普遍觀察後，普賢菩薩便列舉出：對於這十種義海的各項內涵，以佛陀的智慧皆能了知的種種不可思議。這些種種不可思議的法要，普賢將圓滿具足地為大眾宣說。為何如此？經文豐富地列舉數項，總而言之，即為使眾生入於佛智海，為隨順眾生根器令其各得信解。

◆世界海成就的十種事蹟

接下來是本品主要的部分，宣說世界海成就的十種事項，這十種是：

一、世界海生起與具足的因緣。
二、世界海所依住之處。
三、世界海的形狀。
四、世界海的體性。
五、世界海的莊嚴。
六、世界海的清淨。

七、世界海中諸佛的現起。
八、世界海的時劫住世。
九、世界海的時劫轉變差別。
十、世界海的平等無差別門。
而每一項事情，都各以十種答案來解釋，也各以一首偈頌總持之。
這十大項事緣，有其循序漸進的層次，包含整個從生起到具足、依住、形狀、體性、以何為莊嚴、各種清淨方便、佛的出現，以及時間的長久、轉變、壞毀等種種不同的情形，最後以平等無差別，來彰明無礙的世界海，說明眾生境界、諸佛境界廣大之相及重重無礙無盡之相，所以說：「一一世界海中，一切世界海普入一塵當中，等無差別。一一世界海中，一一微塵中一切三世諸佛廣大境界，皆能普現，等無差別。」這種種的等無差別，都是佛與菩薩的願行廣大，纖塵眾生也沒有遺落掉。

世界海的差別相

接著是說明這世界海種種的差別相，以及其緣起，有何意義。

一、了知眾生界廣大，亦等同法界、佛界、菩薩界、虛空界，如影相入重重無盡，不一不異。使所有發心者，能知此圓滿無礙的實相，而拋棄對立拘執的權相。

二、明示世界之依住形相、苦樂淨穢，皆是眾生自己業力果報所成的，絕不從另外的原因而來。

三、佛菩薩的大慈悲、大願力能普遍深入法界海、眾生行業海，使眾生到究竟彼岸。學佛者由此能發大願心如佛陀，如普賢菩薩般信賴廣大，入普賢之大行。

以上三點所說明的，又非只是各別獨立存在，也非彼此對立矛盾，而是相攝相容的。所以，雖說世界之苦樂淨穢依眾生業力，但在說明世界成立之因緣時，經文亦同時並說「因如來威神力故，因理法如是故，因普賢菩薩白在願力故」，等等的佛菩薩行願。所以，這樣的世界觀是可堪玩味體解的。

本品經文中，我們可以察覺：在《華嚴經》裡，宇宙中的一切世界，各是依據一切可能之因緣而安住，任何因緣都可能形成一個世界海。而在同樣的空間裡面，具有無限的世界海，其彼此相附依住，卻又獨立地成就。各個國土皆存在於無量無邊的空間，體性亦有無量的差別。這樣的了知，有助於我們不斷的去除見地上任何的懷疑，任何的不可能，任何的障礙，把所有不圓滿的境界全部清除掉，那麼華嚴的見地就能鞏固。

◆顯現華藏世界

再來是顯現華藏世界。經文之首，從一個諸佛如來的現起，毘盧遮那佛的果位現起，到達這些世間主、菩薩眾、普賢三昧的顯現，讓我們對毘盧遮那佛的果地，清楚明白的了解，由此來鞏固華嚴的正見，也依之進入修習的境界。

見、修、行、果在《華嚴經》裡面，都是混同的講，見、修、行、果講過一周之後，此果又是下一階段的見，果中有因，因中有果，循環而說。這樣混同的講，但是見、修、行、果又可以各別分立。在見裡面，含有見、修、行、果；在修裡面，有見、修、行、果；在行裡面，有見、修、行、果；在果裡面，有見、修、行、果，而見、修、行、果又不是分立的，一開展出來，就是海印三昧的境界。蓮華藏世界海，就這樣不斷地開展。

〈華藏世界品〉解讀

〈華藏世界品〉包含了經文的卷八、九、十。此品是經由普賢菩薩來說明毘盧遮那如來所莊嚴清淨的「華藏世界海」的形狀景況，並特別回答三十七問中的佛世界海、眾生海等問題。

「華」，自然是指蓮華；「藏」，意指蓮華含子之處。因為華藏世界中所有的世界、世界種，都含藏於大蓮華之中，皆住在大蓮華之上，所以才稱為「華藏」。

而此華藏世界，是毘盧遮那如來在修菩薩行時，親近世界海微塵數的佛陀，修治世界海微塵數的大願，所成就莊嚴清淨而成的。

◆華藏世界的所在處

這華藏世界位於何處呢？是由廣大而繁多的風輪扶持著，這些風輪一個接一個層層往上，最上方的一個風輪稱為「殊勝威光藏」風輪。這風輪扶持著「普光摩尼莊嚴香水海」。這個香水海中有一朵大蓮華名為：種種光明蘂香幢，華藏世界就安住在這朵蓮華當中，有金剛輪山在四方周帀圍繞著。

這種風輪扶持香水海、海中有華的狀相，如果依眾生而言是：妄想風攝持如來藏識、法性海，產生無數因果，含攝世、出世間未來果法。如果依諸佛境界而說是：以大願風攝持大悲海，而生無邊行華，含藏萬境，重疊無礙。蘂香幢蓮華的生起，是表示於根本智中生起差別習、行差別行。

◆華藏世界的香水海

華藏世界有莊嚴清淨的大地，又有不可說佛剎微塵數的香水海，這每一香水海當中，又各有四天下微塵數的香水河右旋圍遶著香水海；大地、香水海、香水河，皆是世界海微塵數的清淨功德所莊嚴。同時顯現所有化佛、神通自在、一切變化周遍、所修願行等等境界，表達一入一切、一切入一、體相如實無差別的境象。

華藏世界中有為數不可說的香水海，一一香水海皆有一世界種類安住，每一個世界種類中又都安住了不可說數的世界。這些世界海的結合，就像帝釋天的珠網一般：以一大珠當成中心，第二層珠貫穿圍繞此珠心，第二層珠再各為珠心，讓第三層珠貫穿圍繞，如此次第輾轉相遞圍繞，形成四面八方看去皆是橫縱相從的網狀，各珠之間皆能交相互攝。

經文欲彰顯這種莊嚴的境界，故以中間的香水海為主軸，廣陳別說華藏世界海中層層相攝的情形。如此更能體會到這個不可思議的世界海。

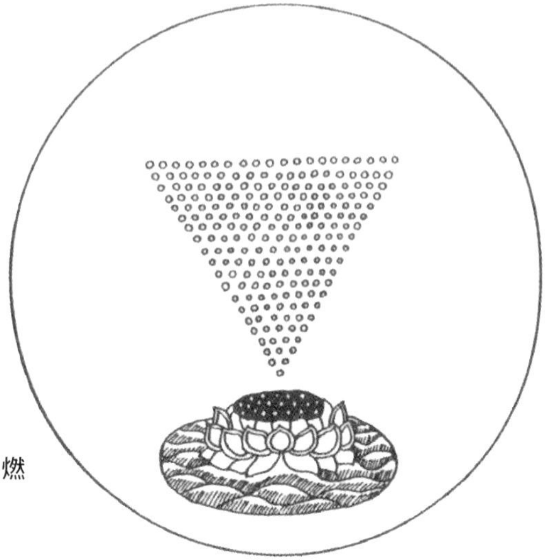

圖一：普照十方熾燃寶光明世界種

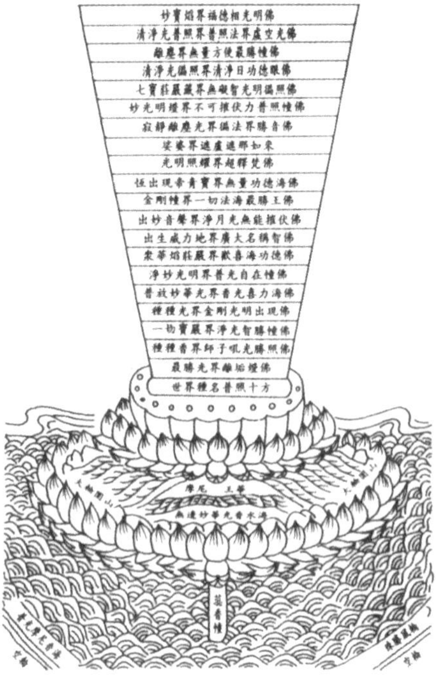

圖二：二十重華藏世界之圖

最中間的香水海名為：無邊妙華光香水海，其世界種稱為：普照十方熾然寶光明世界種（圖一），其四周有十個香水海圍繞。每一個香水海一定配一個世界種，一世界種中必包含二十重世界（圖二）。所以，這十個香水海又各領有不可說微塵數的香水海（圖三），就形成十個不可說佛剎微塵數的香水海。

有這麼多的香水海，就有如此多的世界種，而每一世界種又各有二十重世界。如果寫成程式表示世界的數量，就成：

十個香水海×二十重世界×不可說微塵數香水海×二十重世界

而這樣的景象都圍繞在中間的香水海（無邊妙華香水海）四周，中間的香水海本身亦有二十重世界圍繞（圖四）。

華藏世界的莊嚴境界

此品不僅在描述華藏世界的形狀，而且宣說華藏世界所有莊嚴境界，能示現諸佛境界，眾生於過去、現在、未來三世所行行業因果亦總現其中；就如同百千個明鏡全部懸掛於四面，前後影像互相徹照。因為依於從一切法空的真諦，所以能夠隱現自在，而有「一念現三世，十方世界於一剎中現」等等無礙境界。又「諸佛國土如虛空，無等無生無有相，為利眾生普嚴淨，本願力故住其中」，把無礙的大用點出。

所以，假若以如來大願智力，眾相隨現；假若依隨法性自體空無，眾相都無。如此隱現隨緣自在而不離一真之智，這就是華嚴世界的真實內容。就修行面而言，如果能修行像普賢菩薩般的願行，則能契應此廣大願行福德智慧境界。

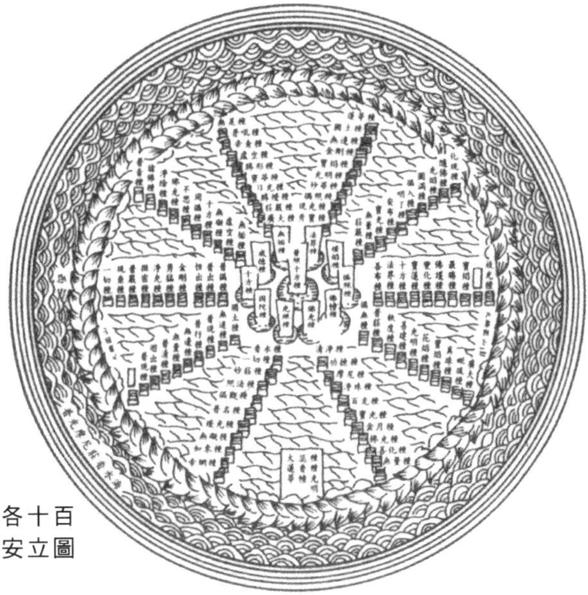

圖三：周圍各十百世界種形狀安立圖

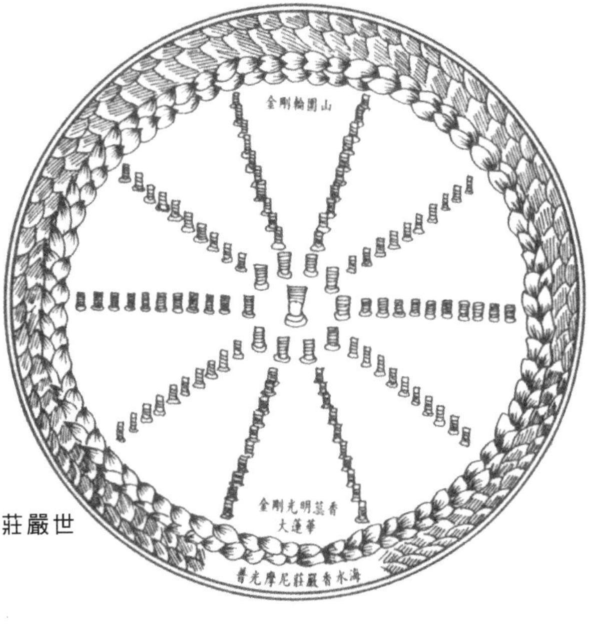

圖四：華嚴莊嚴世界海安立圖

〈毘盧遮那品〉解讀

前五品在華嚴大會中，所有集聚、說法行儀，各種道場莊嚴、殊勝境界，這些人、事、物、時的示現，都是由於往昔所有大眾在毘盧遮那如來處，所修持的功德、所發起的大願，才來到這個大會的。當然，也是毘盧遮那如來累劫累世修習菩薩行、親近諸佛、發大悲願的緣故才得莊嚴成就的。所以這一品是宣講毘盧遮那如來往昔的種種因緣。

四位佛陀的出世

在〈毘盧遮那品〉中共有四位佛陀出世，他們的名稱雖然有差異，卻是隨著世間因緣而別定的，其總稱都是「毘盧遮那如來」。此名的意義是以種種教行的光明，遍照一切，破諸業暗，以廣、深為特色。

往昔在種種莊嚴劫時，於「普門淨光明世界海」中，有世界叫作「勝音」。此世界有個大林區，名為摩尼華枝輪。在大林的東邊有一大城名為焰光明城。在此居住的人都成就業報神足，能乘著虛空往來，內心有什麼樣的想法希望，想法希望的器物都會相應著心念而至。經文所舉的四佛，都在這個大林中出世成正覺。

這個勝音世界第一位出世的佛陀為「一切功德山須彌勝雲佛」。他成證正覺時，焰光明城的城主便率夫人、采女、大臣、太子、太子夫人等來親見佛陀。其中大威光太子看見佛陀的光明，即證得十種法門，聞法之後，即獲得一切功德須彌勝雲佛宿世所集的法海光明；且立即為一切世間顯示如來行海、普賢行願等等，而令眾生皆能發起菩提心。

這位大威光太子在一切功德山須彌勝雲佛滅度以後，在他的城中又有「波羅蜜善眼莊嚴王佛」成證正覺。這位佛陀滅度後又有第三位「最勝功德海如來」出世成正覺，其後又有第四位「普聞蓮華眼幢如來」出世。

大威光王子皆各別在這四位佛陀前，獲得各種法益，廣為發起無量行願。其中第四佛出世時，大威光王子已經命終，受生於寂靜寶宮天城中為大天王，但是仍然率領著天眾到道場來。而這位大威光王子所發起的大願，最重要的是以修習一切普賢行為要，而得以周遍莊嚴佛剎海。

本來此品中應有十須彌山數如來出世的，但經文只舉四位而已。一方面是或因其餘如來出世，可依例了知。二來，經文可盡，如來之願無窮，所以只彰明其無盡，而不必一一列舉。

〈如來名號品〉解讀

從〈如來名號品〉開始，世尊又在摩竭提國的阿蘭若法菩提場始成正覺說法，開啟另一段的勝會。所以一般稱前六品為第一會，此品開始為第二會。就總體而言，是應前面「名號海」的問題而回答的。

第二會的主要場所在「普光明殿」，此品由文殊菩薩來宣說。首先，與會的菩薩眾心中思惟了三十八個問題。世尊知道菩薩們的心念，各隨其類為諸眾菩薩示現神通。

東方世界以文殊師利菩薩為首，另外九個方位的世界亦分別由覺首、財首、寶首、功德首、目首、精進首、法首、智首、賢首菩薩為首，各從其世界帶領菩薩眾來拜詣佛陀。這十位帶領的菩薩相當重要，因為此後經文中很多法要妙理，都由這些菩薩與文殊菩薩交互問答而成。

接著，文殊師利菩薩承著佛陀的威神力，來宣說此四天下以及東、西、南、北、東北、東南、西南、西北、上、下等十方的各種如來的名號。娑婆世界就有百億四天下，這當中也有百億萬種種如來名號。除了娑婆世界外，它四周十方世界的如來名號又各各有別。

◆眾菩薩思惟的問題

對於眾菩薩所思惟的問題分四大類：

一、佛剎、佛住、佛剎莊嚴、佛法性、佛剎清淨、佛所說法、佛剎體性、佛威德、佛剎成就、佛大菩提。

二、菩薩的十住、十行、十迴向、十藏、十地、十願、十定、十通、十頂。

三、如來地、如來境界、如來神力、如來所行、如來力、如來無畏、如來三昧、如來神通、如來自在、如來無礙。

四、如來眼、如來耳、如來鼻、如來舌、如來身、如來意、如來辯才、如來智慧、如來最勝。

這些問題與第一會所提問的問題是大同小異，特別的是，前會以各種菩薩海來問菩薩的內涵，而此會則以菩薩的階次來說明這內涵的種種差別相。有關菩薩的階次，會分別在往後的經文中回答，這是相當重要的部分。

◆如來名號的意義

為什麼如來有這麼多不同的名號呢？其名號又代表什麼意義呢？這可大略分為五種：

一、以法界自體根本智緣以成佛號。這是要令眾生了知根本無明，而能隨其聖號入真如根本的智慧，如不動智佛、無礙智佛等等。

二、如來示現成證正覺，依自特德緣以成佛號。這是指十方諸佛成就正覺佛果時，共同具備的十種名號，如調御丈夫、如來、應供等。

三、依如來利益眾生方便緣，依位進修以成佛號。這是為了引導眾生於某一法、某一階次，或自得利益的法門而命名，主要是契理契機而建立的。如佛陀的名號中有「月」者，即指法身本源清涼、調柔如同月輪一般。

四、明如來以一切眾生隨根所樂緣，以成佛號。這是以眾生根類而有名號，為佛、為天、為神、為主等等，令眾生不起惡、不作惡。

五、依法界體用平等緣，一切諸法總名佛號。以一切法及名言緣起無性、平等如如，所以一切法及名言皆是佛號。

前一會以如來和普賢菩薩為搭配，是顯現已行佛果和已行之果，令眾生生起信心。這一會是以如來和文殊菩薩來搭配，便是展示自己入信修行，成妙慧之本母。

這是因為文殊菩薩代表自心檢擇、無相妙慧、諸佛之母，有創發啟蒙之義，所以十信法上便以他為引緣。而且以名號的周遍無盡，各隨眾生知見而有，眾生無盡佛名亦無盡，十方世界無有一名非佛名。佛名既是因應而有，所以一切佛名便也無所著了。

雖然以名號為主，但非單指名號而已，而是指如來的身、語、意業遍周一切。佛果海的身、語、意業既然如此廣博無盡，而且皆是應眾生而有，所以眾生與佛三業應是非異，而同入如來性海，如此方能心生大信大願！

〈四聖諦品〉解讀

〈四聖諦品〉一方面是廣為敷演佛陀種種的語業，為前面「佛所說法」的問題而作回答，同時應答前一會中的「佛演說海」這一問。

四聖諦是佛法根本要旨，前品舉佛名以為歸止，本品立法以為仰賴。

四聖諦是指「苦」、「集」、「滅」、「道」。為何稱為「聖」？稱為「諦」？「聖」有正、無上之意。「諦」以真諦、諦實、審諦為解。以此四法來總攝一切法，而四聖諦亦隨根隨義，而立名不同，以達無量法門對治眾生煩惱，無量法德利益眾生根性。而佛法之門門遍周，也在此表示出來。

內文依然是由文殊菩薩來宣說，將苦、集、滅、道在娑婆世界的不同名稱約略說出，而總共有四百億萬種名號。

除此，娑婆世界以外的十方世界，亦對此四聖諦各有不同的名稱，也是各有四百億萬個。這些名號都是隨著眾生心念之所樂著，而能使眾生得到教化調伏。

不僅如此，這十方也各有不可說的世界數，這些世界又各有十方世界，這些總總世界的四聖諦名號也都各有百億萬種。所有四聖諦不同的名號，都能讓眾生隨著心意，而得到教化調伏。

〈光明覺品〉解讀

「世尊從兩足輪下，放百億光明」的境界是〈光明覺品〉全部的內容。世尊以此不可思議光明遍照此三千大千世界，其中的各種萬法萬界也在此光明中顯現。此光明又照耀至過此世界十佛土，乃至過十億世界的百億世界，而且還同時照耀至十方。

文殊菩薩與前面所提的九位為首的菩薩與眷屬，來到佛陀的處所。這十方菩薩又並非單一的，而是各各與十方菩薩共同前來，並同聲說出十個偈頌。偈頌部

份仍有許多法要，如：「

了知差別法，不著於言說，無有一與多，是名隨佛教。

多中無一性，一亦無有多，如是二俱捨，普入佛功德。

眾生及國土，一切皆寂滅，無依無分別，能入佛菩提。

眾生及國土，一異不可得，如是善觀察，名知佛法義。」

世尊如此的不可思議光明，其廣大至明，真可令眾生張大眼目！光明所至，一目了然，能觀、所觀渾然為一，真可令有情開大心境！

由此覺悟法性無礙無邊，願行亦無盡無邊，而得信心勝增，湧起修行之心！所以品名才稱為「光明覺品」。所謂因光明而覺，因覺而光明。

有一種說法認為這一品中世尊從兩足放光，是代表為菩薩階位的開頭：「十信位」。因為是開始之階，所以從踏地的兩足放光，以表堅實的基礎。

從此品後，世尊又於說「十住位」時從足指端放光，明入聖之始。在「十行位」時，從足趺上放光。「十迴向位」時，從膝上放光。「十地位」時，從眉間放光。這是可以善加體會的。

〈菩薩問明品〉解讀

在〈菩薩問明品〉中，由文殊菩薩提出問題，一一地對前面所提的九位為首的菩薩發問，再由諸位菩薩共同請問文殊菩薩，如此交互酬答，研覈教理，以悟群生，所以才稱為〈菩薩問明品〉。明者，答也，使理徵明，破暗決疑。

前品世尊放光使眾生生起信心，這一品則開示十信位修行之行門，並斷除疑惑更增長信心。

一、文殊菩薩問覺首菩薩：「心性如果是一，為何會見到種種的差別？」這是問「緣起」之甚深事。

二、問財首菩薩：「一切眾生本來都非眾生。為何如來於如是諸眾生中，為眾生示現其微妙色身，以教化調伏？」這是問「教化」之甚深處。

三、問寶首菩薩：「一切眾生，都是由地、水、火、風四大要素和合而生。如果是無我也無我所，則為何會有受苦歡的差別？」這是問「業果」之甚深義。

四、問德首菩薩：「如來所了悟的唯有一法。但是，他為何又演說無量的諸法，示現無量的剎土，化導無量的眾生等等？」是問「說法」之甚深義。

五、問目首菩薩：「如來的福田是平等如一而沒有差異，但我們為何見到眾生會因布施之不同，而有不同的果報呢？」這是問「福田」之甚深義。

六、問勤首菩薩：「諸佛教法是同一的，眾生皆得以親見。但是眾生為何不能即刻斷除一切的煩惱束縛，而達到出離煩惱的境界呢？」這是問「正教」之甚深義。

七、問法首菩薩：「如同佛陀所說，假若有眾生受持正法，必定能除斷一切煩惱。則為何又有人受持正法，而不能斷除煩惱呢？」這是問「正行」之甚深義。

八、問智首菩薩：「於佛法中，是以智慧為上首。但是諸佛如來因何緣故，而為眾生讚歎布施、持戒、忍辱等等諸法呢？」這是問「正助」甚深之理。

九、問賢首菩薩：「諸佛世尊唯是以唯一之道，而得到出離的。為何現今見到一切佛土之中，所有的事又有種種不同呢？」這是問「一道」甚深之理。

十、諸位菩薩齊問文殊菩薩：「什麼是佛陀的境界？什麼是佛陀境界的因？什麼是佛陀境界的度化方式、趣入方式、智慧、法門、演說、了知、證悟、示現、廣大？」這是問「佛境」甚深之義。

九位菩薩各以自己所修行，以偈頌回答文殊菩薩；文殊菩薩亦以偈頌回答九位菩薩之問。

文殊菩薩代表妙慧，而為根本；九位菩薩代表九種大行，而為葉茂。所以九位菩薩所回答的均是：「為何是一，而起各各差別之理？」的問題。而由文殊菩薩來總答佛境界之總德。

他們如此交互問答，正也代表妙慧通於眾行，眾行成於妙慧。

〈淨行品〉解讀

〈淨行品〉由智首菩薩啟問，文殊師利菩薩以偈頌來回答法義。前品已解釋所疑所困，所謂「解行並重」，因此在這一品就以清淨妙行為要旨，以使依理而入，隨事而行，以達到理事圓融，才不會虛費多聞而無益。

「淨行」就是以清淨之心，精勤修持法界萬行，使身體、語言、心意三業清淨，諸事莊嚴沒有染著，獲得一切勝妙的功德，所以才說：「斷一切惡，具足眾善，當如普賢，色像第一，一切行願皆得具足。於一切法無不自在，而為眾生第二導師。」因為普賢代表的是大行，「大」者是指清淨、廣大而言，所以以普賢為喻，而證成淨行之真意。

所以智首菩薩就以「如何才能得到沒有過失的身業、語業、意業呢？如何才能得到不傷害的身業、語業、意業呢？」等等共二十個問題，總體而言，是提問各類的勝果因由。

文殊菩薩的回答則是以「善用其心，則獲一切勝妙功德」。如何善用自己的心呢？文殊菩薩共舉出了一百四十大願門，以教導佛子在所作所行時，當如是善用自己的心。

這段偈頌是相當有名的，因為它把各類各式行、住、坐、臥的舉止動作，巨細靡遺地宣說出來，所以很多寺院都取其中一段製成標語，貼於牆上、門上等等處所，以提醒修行人能作其事，善用其心。例如：

經中記載：整衣束帶時，當願諸眾生，檢束諸善根，恆不令散失。若著上衣時，當願諸眾生，獲勝善妙根，至法之彼岸。

大小便溺時，當願諸眾生，棄諸貪瞋痴，蠲除眾罪法。事訖就水時，當願諸眾生，於出世法中，速疾而往詣。

平時早晚課所做的三皈依，亦是出自此品：

經中記載：自歸於佛，當願眾生，紹隆佛種，發無上意。自歸於法，當願眾生，深入經藏，智慧如海。自歸於僧，當願眾生，統理大眾，一切無礙。

這一百四十願門，都是成佛道上的勝上緣力，因為所用之心、所發之願，都是迴向菩薩大願，亦即上求佛法、下化眾生之大道。這對整個修行的路途是否正確、通達，是相當重要的。所以文殊菩薩才會叮囑要「善用其心」啊！

《華嚴經》的見地至廣大，願力至廣大，如果要將其化入生活的每一部分，〈淨行品〉正可當做我們發願的指導，尤其是初學習發願者的指導；最後化入日常行持，見到相應的因緣，心中馬上會有相應願心發起，這是淨行所顯現的境界。（本品經文於第三章全部摘出，並作註釋，方便讀者學習淨行）

〈賢首品〉解讀

〈賢首品〉是由文殊師利菩薩以種種淨行的菩提心為何而請問賢首菩薩，由賢首菩薩來回答，所以本品以「賢首」為品名。

以四句為一偈，賢首菩薩共說了三百五十九頌半。總分為三大部份：最初四頌是表明功德無邊，稱揚不能盡之謙詞；第二部份有三百四十六偈半，是正說廣大勝德；第三部份有九偈，是勸眾生信持此法。

第二部分是主旨所在，可分為五大段。

一、七頌，是表顯發心之所在。如「但為永滅眾生苦，利益世間而發心」。

二、七頌，宣說信樂之妙。如「信為道元功德母，長養一切諸善法」。

三、五十頌半，開示信德所具所成諸行。如「若常信奉於諸佛，則能持戒修學處；若常持戒修學處，則能具足諸功德」。

四、二百三頌，宣說無邊之大用，即三昧業用之無限。共有十門三昧業用：

（一）圓明海印三昧門。

（二）華嚴妙行三昧門。

（三）因陀羅網三昧門。

（四）手出廣供三昧門。

（五）現諸法門三昧門。

（六）四攝攝生三昧門。

（七）俯同世間三昧門。

（八）毛光照益三昧門。

（九）主伴嚴麗三昧門。

（十）寂用無涯三昧門。

五、七十九頌，舉比喻來說明，菩薩行願功德之不可思議，是用「以劣顯勝」「以小喻大」的方式。故言「欲以譬喻而顯示，終無有喻能喻此，然諸智慧聰達人，因於譬故解其義」。

◆海印三昧的精髓

〈賢首品〉是很重要的一品，它是海印三昧的濃縮。要掌握《華嚴經》海印三昧的精髓，可以從〈賢首品〉裡面體會。

經中記載：於眼根中入正定，於色塵中從定出，示現色性不思議，一切天人莫能知。

眼根相對於色塵，即能眼見外色，從眼根入定，從看的對象中出定。

經中記載：於色塵中入正定，於眼起定心不亂，說眼無生無有起，性空寂滅無所作。

眼睛本身無生、無有起，若起不起，不起即是性起。為何能如此？虛幻無所作、性空緣起故，所以能自在轉換；若未了知性空，是無法幻化自在的。

經中記載：於耳根中入正定，於聲塵中從定出，分別一切語言音，諸天世人莫能知。於聲塵中入正定，於耳起定心不亂，說耳無生無有起，性空寂滅無所作。

眼、耳、鼻、舌、身、意，色、聲、香、味、觸、法，十二處都是這樣入定、出定，也就是六根、六塵互修的方法。

經中記載：童子身中入正定，壯年身中從定出；壯年身中入正定，老年身中從定出。

從一個小孩身中入定，自一個壯年人身中出定；轉世法、奪舍法都包含在其中。

經中記載：老年身中入正定，善女身中從定出；善女身中入正定，善男身中從定出。善男身中入正定，比丘尼身從定出；比丘尼身入正定，比丘身中從定出。

這是觀世音菩薩三十二應身，八地以上菩薩才有這種境界。

經中記載：比丘身中入正定，學無學身從定出；學無學身入正定，辟支佛身從定出。辟支佛身入正定，現如來身從定出；於如來身入正定，諸天身中從定出。諸天身中入正定，大龍身中從定出；大龍身中入正定，夜叉身中從定出。夜叉身中入正定，鬼神身中從定出。

現在不只是能自在示現四眾身、佛身而已，在諸天身、大龍身、夜叉身、鬼神身，都自在示現。

經中記載：鬼神身中入正定，一毛孔中從定出。一毛孔中入正定，一切毛孔從定出；一切毛孔入正定，一毛端頭從定出。

經由這樣訓練，就知道何謂「相攝相入法」。但這還是屬生命現象的。

經中記載：一毛端頭入正定，一微塵中從定出；一微塵中入正定，一切塵中從定出。一切塵中入正定，金剛地中從定出；金剛地中入正定，摩尼樹上從定出。

地、水、火、風或天宮殿……等等，這些三昧就是如此顯現。

經中記載：能以一身現多身，復以多身為一身。於虛空中入火定，行住坐臥悉在空；身上出水身下火，身上出火身下水。如是皆於一念中，種種自在無邊量。

如此修持三昧，才了知宇宙一切都是幻化的，一切都是性空的。十方廣大無邊，三世流通不盡，在時空上是無量無邊的。了解此之後，再回到現象界中，相交互映；之後再進到華嚴世界海，這中間就很有味道了。

講幻化講得最徹底的就是《華嚴經》，因為華嚴的正見就是去除一切見的正見，所以能夠從龍身上入定，從佛身上出定；從眼根上入定，從耳根上出定；從色塵中入定，從聲塵中出定。〈賢首品〉裡面講說有關於華嚴三昧、海印三昧的境界，再進入了十信、十住、十行、十迴向。

〈昇須彌山頂品〉解讀

〈昇須彌山頂品〉是世尊示現不可思議的大神通，在不離開一切菩提樹的狀況下，上昇須彌山頂，向帝釋天王的宮殿前去，因此才有此品名。世尊將從此品到「明法品」共六品中說「十住」之法。前面以在人間地上的普光明殿中說「十信」之心。

「須彌」義為妙高，所以世尊今升此須彌峰頂，表徵境界的高舉，升妙高的山頂，以彰明「十信」而入於「十住」。由於地點有了轉變，所以此品是第三會的開始。

《華嚴經》中在場的聞法者，一般不是菩薩便是世主，而以菩薩為主，所以在開示法門上便有菩薩修行之階位，一般是以：十信、十住、十行、十迴向、十地來分。

世尊至須彌山後，帝釋迎請世尊入妙勝殿，帝釋憶念過去有十佛都曾來過此殿，而發讚言。這個場面，也同時在十方一切諸世界中一一各別出現。是此會說法前的各種盛況與預備。

〈須彌頂上偈讚品〉解讀

在〈須彌頂上偈讚品〉中，十方菩薩皆來聚集，而由十位為首的菩薩分別讚頌佛陀、法要。所以此品名稱如此，以作為說法前的助緣。

世尊在此品中，從兩足指當中，放射出百千億妙色光明，普遍照耀十方一切世界須彌山頂，使妙勝殿中的佛陀及大眾均熾然顯現。

此會之十位為首菩薩分別為：法慧菩薩、一切慧菩薩、勝慧菩薩、功德慧菩薩、精進慧菩薩、善慧菩薩、智慧菩薩、真實慧菩薩、無上慧菩薩、堅固慧菩薩。這些菩薩將於此會作為啟請應答佛法之人。這十位菩薩也各別代表不同的進位修法，代表了「十住位」，所以說頌言時，也因自己當位之所修所行宣說，使大眾能悟入。分析而言，又以第一位法慧菩薩所說的偈讚為總顯佛陀的特德，其餘九位則讚頌佛陀之差別功德。

〈十住品〉解讀

〈十住品〉是這一會中的正文，表明彰顯「十住位」行法，由法慧菩薩宣說，也回答〈如來名號品〉中菩薩十住的問題。這十種修行，能在諸佛的廣大智慧中安住，入於空界住於空性位，而入此位永不退還，住三世諸佛家，所以才名為「住」。其本身而言，經文說：「菩薩住處廣大，與法界虛空等」。

首先，法慧菩薩承佛威力，而入於「菩薩無量方便三昧」。入此三昧，且又重新宣明能入此三昧是因為：諸佛以神力共同加持、毘盧遮那如來往昔願力威神之力，以及法慧菩薩所修善根力的緣故。這三者是《華嚴經》共通的心法。而得致諸佛讚歎、加持、摩頂等等勝妙境界，並獲得諸佛交付演說菩薩十住法之責，法慧菩薩再起定而為大眾宣講。宣說十住位之所行所修之後，各個世界皆起六種震動，現出各種神變瑞相。

這時，十方各過一萬佛剎微塵數世界，有十佛剎微塵數的菩薩，他們皆同名為法慧，齊來到此處作證。證明十方所有世界，所說的十住法和此處所說的無有增減、皆同如是。法慧菩薩便又以偈頌再宣說此「十住法」，並以其難得、難量，而勸勉修持。

◆十住法

這十住法中，每一住中分別宣明十種增上、發心之法，十種當位之中所修之法，亦即自勉學又勸人學者。分別是：

一、初發心住。由十信行具足信心圓滿，於是依智慧而創發大心，發心即住，是為初住。

二、治地住。練治調柔心性，而發起利益心、大悲心、安樂心等十心。勸勉學習讀誦以具足多聞、親近善知識、發言十分的和悅等十法。而八萬四千法門清淨，悲智得以增明。

三、修行住。巧妙以空性、無常、無我之行等十行，善於觀察眾生、法等十界。

四、生貴住。從聖教中出生，成就永不退轉於諸佛之所、心中深生淨信、善於觀察諸法等十法，而了知、修集、圓滿三世一切佛法。

五、具足方便住。修習諸善巧方便，以饒益一切眾生，顯現以真隨俗之相，了知眾生無邊、無自性、無所有等十法。

六、正心住。成就般若實相之法，聞知各類讚毀、易難、成壞、有無等十法，皆心定不動故。勸勉學習一切法無相、一切法無分別等等法。

七、不退住。入於無生畢竟空性，止觀雙運，聞有法、無法，於佛法中心不退轉、堅固不失。勸勉學習無相即相，相即無相等廣大法。

八、童真住。心不生顛倒，不生起邪魔之見，安住於身行無失、語行無失等十種業。應勸勉學習了知一切佛剎、動搖一切佛剎、領受無數佛法、展現變化自在身等十法。

九、法王子住。從法王教中出生善解，當紹佛位，所以名為「法王子」。而應善知所有眾生的受生、所有煩惱的現起、習氣的相續、所行方便等十種法。而應勸勉自己學習法王處善巧，以及諸多進退威儀等十法。可以成為法王，所以稱為「法王子」。

十、灌頂住。從上面九住觀空，而得最上無生之心，所以獲得諸佛法水灌心頂。此住成就震動無數世界、照耀無數世界、令無數眾生調伏。應勸勉自己學習諸佛的三世智、佛法智等十種智。

以對治而言，前三住，是總約宣明修習出世間心，破除諸世間煩惱纏縛，以脫出纏縛的心念為勝。第四住，是對治世間法則，以及生死不自在的障礙，而令其自在。第五住，是對治真俗身邊二見，令大智慧的境界得以自在。第六住，對治智慧寂用不自在的障礙。以上解說世間和出世間之對立，使之和會。

第七住，對治大慈大悲攝生不圓滿障，令其圓滿。第八住，對治行持悲心時，糾纏於同事、世間的餘習、智慧不清淨的障礙，令其清淨。第九住，對治法不自在的障礙，令之得以自在。第十住，對治慈悲智慧不自在清淨障，令得清淨。

〈梵行品〉解讀

〈梵行品〉是由正念夫子發問如何修習梵行以成就無上正覺，而由法慧菩薩回答所構成。

正念夫子請問剛出家的菩薩，究竟要如何修持清淨的梵行，才能迅速成就無上正等正覺呢？法慧菩薩說，要對十種法來觀察其是否為梵行，即：一、身，二、身業，三、語，四、語業，五、意，六、意業，七、佛，八、法，九、僧，十、戒。

在如實地加以觀察之後，發現這十法沒有一法可以成為梵行的！所以於身無所執取，於修也無所執著，於法也無所安住，澈見一切的梵行皆不可得，過去、現在、未來畢竟空寂，如此而成就清淨梵行。

不僅如此，菩薩修習清淨梵行不執著一切法，了知諸法畢竟空之後，還要具備佛陀的十力大智才能廣度無量眾生。這十力是：一、處非處智力，二、業報智力，三、禪定解脫三昧智力，四、根勝劣智力，五、種種勝解智力，六、種種界智力，七、一切至道處智力，八、天眼智力，九、宿命智力，十、漏盡智力。雖然以這十力了知種種境界，卻了知一切的境界如夢、如幻、如影、如響、如同變化，這和《金剛經》的「一切有為法，如夢幻泡影，如露亦如電，應作如是觀」很相似。

經由這樣的觀行，一切佛法迅速成就，而且「初發心時即得阿耨多羅三藐三菩提」。華嚴宗的祖師們極力讚歎地稱此為「一念成佛」或「初發心便成正覺」，像智儼（六〇二－六六八）撰（承初祖杜順說）的《華嚴一乘十玄門》裡，十玄門的第八門「諸法相即自在門」就引用此句來建立它的道理，他說：「故經云初發心便成正覺，乃至具足慧身不由他悟。譬眾流入海，才入一滴即稱周大海，無始無終，若餘江河水之深不及入大海一滴！」智儼用滴水入海來比喻初發心即成正覺，用得非常恰當！以這樣的方法來修清淨梵行，必定迅速成就。

〈初發心功德品〉解讀

〈初發心功德品〉是在顯明發心的殊勝功德，前兩品說明十住的位階與修行，所以接下來闡明其功德。而且前一品末說初發心時便成正覺，這一品是要接下來解釋這個道理的。這一品梵本的名稱叫〈初心菩薩功德藏品〉，是初發心的菩薩已蘊積無量無邊的殊勝功德之意。

這一品分為長行與重頌二個部份。其中長行又可分為七個部分：一、天王請說，二、歎深難說，三、就喻校量，四、就法略示，五、地動興供，六、他方證成，七、以偈重頌。第三「就喻校量初發心功德」是本品的主體，用了十一大喻來顯示初發心功德不可限量。

遠勝於其他功德，這十一大喻是：一、利樂眾生喻，二、速疾步剎喻，三、知劫成壞喻，四、善知勝解喻，五、善知諸根喻，六、善知欲樂喻，七、善知方便喻，八、善知他心喻，九、善知業相喻，十、善知煩惱喻，十一、供佛及眾生喻。

發菩提心的功德不可限量，是由於他的動機不可限量的緣故，例如說菩薩「欲不斷佛種故發菩提心」、「欲度脫一切眾生故發菩提心」、「欲知諸佛平等境界故發菩提心」。

因此華嚴四祖澄觀（七三八～八三九）說：「初心契於智海，豈有邊涯？猶微滴入於天池，齊無終始！」初發菩提心的功德可說是無始無終、一即一切而不可窮盡的，所以經文重頌說「十方世界諸如來，悉共讚歎初發心」。

菩薩的初發心，本品所說的十一種比喻，可說是前一品梵行品中淨修佛陀十力的闡明。菩薩瞻仰佛陀的十力無礙智慧而發菩提心，是為了滅除眾生種種苦惱，欲見十方諸佛，獲得佛一切智的緣故。因為發心能出生一切佛，而菩提心是十力佛德的根本，所以菩薩發菩提心以上求佛果、下化眾生。

〈明法品〉解讀

〈明法品〉是忉利天宮會六品的最後一品，如果依照梵本，品名應是〈明為法光明之品〉，因為這一品要以此勝進趣向十行位而行，需要以智慧來明照，所以稱為「法光明」。也就是說前面五品已發菩提心成就廣大功德，而這一品要使前五品之法令心更明，而且要使後面將修習的十行之法能更轉勝光明，因此稱為〈明法品〉。

本品是精進慧菩薩問於法慧菩薩：已發菩提心成就廣大功德的菩薩，如何次第修持一切菩薩所修行之法，例如大行清淨、大願滿足等等。法慧菩薩便回答菩薩次第修行之道。

首先初發心菩薩要安住於不放逸行，需修習十種法。這十種法是：一、持戒，二、淨菩提心，三、心樂質直，四、勤修善根，五、善思發心，六、不樂近凡夫，七、不求世間果報，八、離於二乘，九、修善不絕，十、善觀自力。如此安住不放逸行，便得十種清淨。

其次，法慧菩薩說有二十種法能令諸佛歡喜，有十種法速入諸地，有十種法令所行清淨，而更獲得十種增勝法。

還有十種清淨願，而住十法令大願圓滿，而得十種無盡藏，因此福慧具足清淨，便以方便為眾生說法，但又不捨種種波羅蜜道，而行十淨波羅蜜，即布施、持戒、忍、精進、禪、般若、方便、願、力、智慧波羅蜜。

如此菩薩具足智慧便能紹隆三寶令永不斷絕，而以這一切所行都迴向一切智智之門，因此念念清淨無有過失，念念具足十種莊嚴，以利益一切眾生。

菩薩如此精勤修習而次第成就菩薩行，便能漸漸具足諸佛功德，能為大法師護持正法，並為諸佛之所護念，而以無礙辯才轉動正法輪，滿足眾生心願，令一切眾生皆得歡喜。

〈昇夜摩天宮品〉解讀

〈昇夜摩天宮品〉是第四會「夜摩天會」之首，此會有四品，而以〈十行品〉為正宗。夜摩天是時分天之意，在這一天當中，沒有日月晦明，而以蓮花開為晝，以闔為夜，所以稱作時分天，也是空居諸天之首。

梵本品名為〈夜摩天宮神變品〉，指佛陀雖然昇至夜摩天宮，卻仍然沒有離開菩提樹下的本座，所以稱為神變。

本品開始，先是佛陀示現神力使一切世界皆能見到如來，而諸菩薩也各自以為恆常面對佛陀。然後佛陀沒有離開菩提樹而趨向夜摩天，夜摩天王立即以百萬寶貝莊嚴天宮恭迎世尊，而請世尊安處此寶殿中。

佛陀接受祈請以後，夜摩天王便以偈頌讚歎，曾有十位佛陀來入此宮殿中，這個摩尼殿也因此變成一切處所中最吉祥的。如此讚歎佛陀及所處的宮殿，十方世界夜摩天王也如此讚歎。等到佛入師子座後，此宮殿突然變成非常寬廣，十方世界也是如此。

其中天王讚頌的部份提及十位佛陀與所進入的宮殿，依序是：

名稱如來──摩尼殿　　寶王如來──清淨殿
喜目如來──莊嚴殿　　然燈如來──殊勝殿
饒益如來──無垢殿　　善覺如來──寶香殿
勝天如來──妙香殿　　無去如來──普眼殿
無勝如來──善嚴殿　　苦行如來──普嚴殿

而這十個宮殿都是夜摩天宮殿，可見此宮殿的莊嚴殊勝了。

〈夜摩宮中偈讚品〉解讀

〈夜摩宮中偈讚品〉也是〈十行品〉的序分，是在說明十行的體性及其所依，其中有十位菩薩各就其位而讚歎所行之法。

本品的讚偈有些相當有名而廣為流傳，例如覺林菩薩說：「心如工畫師，能盡諸世間，五蘊悉從生，無法而不造」，又接著說：「如心佛亦爾，如佛眾生然，應知佛與心，體性皆無盡」。最有名的是其末後一偈：「若人欲了知，三世一切佛，應觀法界性，一切唯心造」，這一偈就是破地獄偈，根據法藏《華嚴經傳記》卷四所記載，有王氏因為誦此偈而得以免除地獄之苦，而現在早晚課都用以作施餓鬼偈了。

本品承上品，以佛陀的威神力加持，十方各有一大菩薩來集，十大菩薩是功德林菩薩、慧林、勝林、無畏林、慚愧林、精進林、力林、行林、覺林、智林菩薩。他們分別從十個佛世界來聚集，十方世界也同樣如是。然後佛陀從兩足放光照耀一切世界，各菩薩便依序以偈頌讚歎佛陀。

功德林菩薩讚誦佛陀放大光明，普照於十方界，普現於十方界，而十方皆謂佛陀在此，因此神力不可思議，一身具無量身，但是一身與無量身其相實不可得，而且無住亦無去處，普入於法界中。

慧林菩薩則讚誦佛陀無去亦無有來，說法廣度眾生。

勝林菩薩讚誦佛陀諸法本無來處，也沒有能作者，一切法無所依從，所以不生不滅，諸法本來無生的緣故，自性空無所有，此人了知通達此深義。無畏林菩薩則讚誦法甚難值遇。慚愧林菩薩則讚誦佛陀對於一切具知見人，自說如是言語，如來無不了知，是故難以思議。

精進林菩薩則說：唯有佛陀與佛陀乃能究竟諸法無差別的實相。

此段偈頌中「譬如算數法，增一至無量，數法無體性，智慧故差別」，這一偈被智儼《華嚴一乘十玄門》引來成立法界緣起無盡的道理。

力林菩薩則說過去、現在、未來三世、五蘊業、心都是幻化的。行林菩薩說諸業體性本空，身相不可得，以法性為其身，則能通達一切法；本性現空如涅槃，則能見佛如來，因此如來是究竟無所住的。覺林菩薩如前已述，說心如工畫師，因此一切唯心所造。

智林菩薩最後結頌道，菩提本來沒有去來，遠離一切的分別，諸佛本無有法，佛陀於何有說法呢？只是依隨其自心，而說如是之法而已。

〈十行品〉解讀

〈十行品〉是第四會「夜摩天宮會」的主體，主要是由功德林菩薩承佛神力以宣說菩薩十行。本品的梵名是〈功德華聚菩薩說十行品〉，亦即功德林菩薩宣說十行之品的意思。

首先功德林菩薩承著佛陀的威神力而進入善思惟三昧（《六十華嚴》作「善伏三昧」，降伏煩惱不起的三昧之意），以佛陀的威神力進入此三昧而演說深法，是為了增長佛智、深入法界、了知眾生界、所入無礙、所行無障、得無量方便、攝取一切智性、覺悟一切諸法、知一切諸根、能持說一切法等十種法的緣故，而發起了菩薩的十行。

◆菩薩的十行

諸佛摩觸功德林菩薩的頭頂後，功德林菩薩便演說這十行。十行是：

一、歡喜行。菩薩修習此行時為大施主，普遍布施一切而不求任何回報，但為令一切眾生入於佛道，甚至以身肉布施，也祈願食此身肉者證得阿耨多羅三藐三菩提。

二、饒益行。菩薩修習饒益行時，護持清淨的戒律，對於色、聲、香、味、觸、法等外境，都不會心生執著，自己調伏也令他人調伏，令他人安住清淨的戒律乃至成佛。

三、無違逆行。菩薩時常修習忍辱之法，即使有無數惡語、惡行加於其身，也能善於調伏攝持自身，而安住於佛法之中，了知無我、無我所，並以此教化眾生令得覺悟趨向於佛陀的大道。

四、無屈撓行。此行是修習種種精進行持，絕對不會為了擾亂任一眾生而行精進，只為斷除一切煩惱、拔除一切迷惑的根本，乃至為了得到能分別演說一切佛法的語句義理的智慧而行持精進。

五、離癡亂行。修習此行能夠成就正念，而心中不生起絲毫的散亂。菩薩因此能夠受持一切法而沒有忘失迷亂，入於種種甚深三昧門，了知一切三昧同一體性，而得一切法之真實智慧，在一念之中，證得無數百千三昧，也發願令一切眾生安住無上清淨的正念中。

六、善現行。修習此行便安住無所得的境界，能夠了知身體、語言、心意三業都是無所有，以至安住於真實無性之性，這種境界是言語道斷，超越了一切的言辭語句，也超越了一切世間，不依著任何處。雖然如此，而大悲不捨眾生，捨正覺而先化度眾生，於不可說劫中行菩薩行。

七、無著行。菩薩不執著的心，於念念當中，能夠進入無數世界，修持種種菩薩願行，往諸佛所承事供養，聽聞佛陀說法而無所著，教化一切眾生不生起任何執著，並且觀察一切法界是如幻的，諸佛宛如影像，菩薩行也如夢一般，成就自利、利他而清淨滿足。

八、難得行。菩薩成就種種的善根，與一切佛陀同體性的善根，於念念中，能夠轉動無量劫的生死，而不捨棄菩薩的大悲誓願，觀察一切法都不可得，而未曾一念為了自己，但為眾生而修持菩薩道，使他們能得至於安穩的涅槃彼岸，成就無上正等正覺。

九、善法行。菩薩證得種種無礙陀羅尼，攝持正法教化眾生而大悲堅固，成就十種身而利益眾生。安住此行能為一切眾生清涼法池，因為已能窮盡一切佛法本源的緣故。

十、真實行。此行成就說與行合一，以及如佛之真實語，得佛十力而不捨一切菩薩行，要令一切眾生成佛，自己才成佛。安住此真實行的菩薩，能夠令親近者皆得開悟。

最後，功德林菩薩再以偈頌重說此菩薩十行的意義。

解讀〈十無盡藏品〉

〈十無盡藏品〉是第四會的最後一品，一方面結成此會，一方面為勝進於十迴向位的基礎。十無盡藏是指十種無盡功德藏之意，分別是：一、信藏，二、戒藏，三、慚藏，四、愧藏，五、聞藏，六、施藏，七、慧藏，八、念藏，九、持藏，十、辯藏。除了前面的十行之外，此十藏亦為過去、現在、未來三世諸佛所宣說；成就這十種無盡藏，就有十種無盡之法能令菩薩入於無上菩提，得到究竟無盡的廣大寶藏。

◆十種無盡大藏

本品亦由功德林菩薩宣說十種無盡大藏。

一、信藏：信藏是確信一切法是空的、無有體相、無有造作、無所依的、不可稱量，也就是確信不可思議法，此外也確信諸佛及其智慧功德，因此而入於佛陀智慧，成就無邊無盡的信心，而能聞持、宣說一切佛法。

二、戒藏：菩薩成就普饒益戒、不受戒、不住戒、無悔恨戒、無違諍戒、不損惱戒、無雜穢戒、無貪求戒、無過失戒、無毀犯戒。

三、慚藏：菩薩憶念起過去所作的種種惡行惡事，而生起慚心的心念時，想要專心一念斷除這些惡行，以證得無上正等正覺。

四、愧藏：菩薩自愧貪求苦、集、滅、道五欲，以致流轉生死，而想要斷除這些惡行，以證得無上正等正覺。

五、聞藏：菩薩多聞苦、集、滅、道十二因緣、苦、集、滅、道五分法身、苦、集、滅、道三十七道品等法無不了知，發願總持多聞，以證得無上菩提。

六、施藏：菩薩實行十種布施，即分減布施、竭盡布施、內布施、外布施、內外布施、一切布施、過去布施、未來布施、現在布施、究竟布施。

七、慧藏：菩薩如實了知苦、集、滅、道四諦、苦、集、滅、道十二因緣、苦、集、滅、道三乘法、因果業報及諸法畢竟空。成就了慧藏，有十種不可盡的緣故，所以稱為慧無盡藏。

八、念藏：菩薩捨離了愚癡迷惑，心念圓滿。具足種種的宿命憶念智，及念佛名號、說法無盡、念眾會等。這樣的心念有十種，即寂靜的心念、清淨的心念、不濁的心念，明徹的心念，離塵的心念，離開種種塵勞的心念，離垢的心念，光耀的心念，可愛悅樂的心念，無障礙的心念。

九、持藏：此持藏能總持諸佛所說經句義理無有忘失，能總持不忘佛名號、總持劫數、總持佛授記等。

十、辯藏：菩薩智慧深廣無涯，能夠了知諸法實相而為眾生演說各種佛法，不會違背一切諸佛經典的義理，得以攝持一切法陀羅尼門，累劫說法不斷，也不會心生疲倦，因為此時菩薩已成就了盡虛空遍法界無邊妙色身的緣故。

〈昇兜率天宮品〉解讀

〈昇兜率天宮品〉是第五會「兜率天宮會」之首。第五會共有三品，即本品、〈兜率宮中偈讚品〉、〈十迴向品〉。前二品是序言，〈十迴向品〉是主體。

本會要說明的是上賢菩薩的十迴向位，主要的說法者是金剛幢菩薩。

兜率天或譯為「覩史陀天」，是知足天之意，此天為欲界六天的第四層。相傳釋迦牟尼佛前生住於此天，騎著六牙白象而投胎轉世；目前於最後生補處的彌勒菩薩位於兜率天的兜率內院中，將來也將如同釋迦牟尼一樣降生成佛。修習布施、持戒、禪定三種福德可上升此天。

本品的結構與第四會之初的〈昇夜摩天宮品〉大體上是一樣的，但宮殿的莊嚴程度及見佛得益、廣修供養上，比起前品要廣大許多；而且佛德莊嚴，大悲普覆，令眾生未信者能信，乃至入於如來家。

本品之初亦是佛陀顯現威神力量，不離開菩提樹本座、須彌山頂、夜摩天宮，而前往兜率天，兜率天王便以種種妙寶莊嚴宮殿，一切世界的兜率天也都如此。

然後天王與無數天子一起出迎佛陀，起種種香氣聚成的雲彩，莊嚴整個虛空，遙見佛陀種種勝相，心中生起大歡喜。

請佛入殿後，天王憶念自己往昔於十佛處所，所種下的善根，而宣說偈頌讚歎此寶殿最為吉祥殊勝。

在十方的兜率天王也如此讚歎佛陀功德之後，如來在一切寶莊嚴殿的摩尼藏師子寶座上，雙足結跏趺而坐。

〈兜率宮中偈讚品〉解讀

〈兜率宮中偈讚品〉是第五會的第二品，內容結構與〈須彌頂偈讚品〉、〈夜摩宮中偈讚品〉相似。本品承上一品之後，由於佛陀威神力的加持，十方世界有十大菩薩來集會，化出寶座後以偈頌讚歎佛德，而相應於十迴向法門。此會佛陀釋尊由兩膝輪放射光明普遍照耀一切法界。

十大菩薩都是以「幢」為名，所居國土的佛陀也以「幢」為名。幢代表五種意義：高出義、建立義、歸向義、摧伏義、滅佈義。佛陀若同名為幢，表十迴向之智。

首先金剛幢菩薩宣說偈頌：

如來不出於世，亦無有謂涅槃，以根本大願力，示現大自在法。是法難可思議，非心之所行處，智慧到於彼岸，乃見諸佛境界。

如來已出世，也已涅槃，為何說如來不出世亦無涅槃？這甚深不可思議的法，是唯有般若波羅蜜才能知道的。所以色身、音聲皆非佛，但卻可依此親見佛陀的神通境界。因此如同《金剛經》所說的，不能以色身見如來，以音聲求如來，否則是人行邪道，不能見到真實如來法身。

第四位光明幢菩薩則說佛身幻化道：

譬如一心之力，能生種種心念，如是一佛之身，普現一切諸佛。菩提無二如法，亦復無有諸相，而於二法之中，現相大莊嚴身。

以心的種種變化功能作比喻，而說明佛陀能分身十方無量世界。但佛陀示現一切身卻是自然而現的，這是由正覺所成的緣故；即菩提正覺雖然無相無二，卻能顯現種種的莊嚴。

〈十迴向品〉解讀

〈十迴向品〉是第五會「兜率天宮會」的主體，闡揚菩薩十種迴向大行，此十迴向為十住、十行、十迴向三賢之本，修習此十種迴向圓滿則進入登地以上的聖位。

本品品名據梵本及晉譯六十華嚴，都是「金剛幢菩薩十迴向品」，這是同時舉出說法者和所說法的緣故。本品的卷帙相當龐大，在《華嚴經》中僅次於〈入法界品〉，共有十卷半左右。

「迴向」是迴轉自己所修的種種萬行，趣向於三處：菩提、眾生、法性實際。簡單說有三種迴向，即菩薩迴向、眾生迴向、實際迴向。

廣說迴向有十個意義：一、迴自向他，二、迴少向多，三、迴自因行向他因行，四、迴因向果，五、迴劣向勝，六、迴比向證，七、迴事向理，八、迴差別行向圓融行，九、迴出向出世，十、迴順理事行向理所成事。

◆十種迴向

本品由金剛幢菩薩來宣說菩薩的十種迴向。首先金剛幢菩薩入於菩薩智光三昧（晉譯作「明智三昧」），十方諸佛摩頂後便宣說十種迴向。這十種迴向是充滿法界不可思議的大願，普能救護一切的眾生，即：

一、救護一切眾生離眾生相迴向：菩薩以自己所修一切善根迴向一切眾生，使其遠離眾苦而得究竟清淨。

二、不壞迴向：於佛、法、僧及一切善法得不壞淨信而迴向於一切智，成熟眾生，供養諸佛，與真如法性相應。

三、等一切諸佛迴向：隨順三世諸佛之迴向而修持，更以此善根迴向諸佛、迴向菩薩、迴向一切眾生。

四、至一切處迴向：以所修善根功德的力量，能夠遍布所有的地方，到達一切處，如同真如法性無所不遍，一切善根皆悉迴向。如此便能護持佛種，成熟眾生，莊嚴清淨國土，於一毛孔普入一切世界。

五、無盡功德藏迴向：於一切善根皆隨喜而迴向莊嚴一切佛土，隨順諸大菩薩充滿其中利益眾生。安住此迴向則成就無比色相莊嚴，而得十種無盡藏，即㈠得證見佛無盡藏，能在一毛孔當中，證見阿僧祇數的諸佛出現世間。㈡得證法無盡藏，能夠用佛陀的智慧力，觀察一切的法都完全融攝於一法。㈢得證憶持無盡藏，能夠信受奉持一切佛所說的法，毫不忘失。㈣得證決定慧無盡藏，了達諸佛所說的教法，具足秘密方便的力量。㈤得證解義趣無盡藏，了達諸法的義理意趣與分際齊限。㈥得證無邊悟解無盡藏，用廣大如虛空的智慧，通達三世一切法。㈦得證福德無盡藏，他的福德充滿各類眾生，數量之廣，令人難以想像。㈧得證勇猛智覺無盡藏，能夠完全消除眾生的愚癡障礙。㈨得證決定辯才無盡藏，演說一切諸佛的平等大法，使所有的眾生能夠完全了解。㈩得證十力、四無畏無盡藏，具足一切菩薩的清淨行，用由離垢所成就的繒帶繫在頂上莊嚴，已到達無障礙的一切智慧。

六、隨順堅固一切善根迴向：此菩薩或當帝王而一切皆布施，以此善念而迴向，願一切眾生皆得圓滿普賢行願根器，成就十力而示現正覺，因此隨順佛住，為諸佛時常憶持護念，在諸法中得證自在。

七、平等隨順一切眾生迴向：以累積聚集的一切善根迴向成就眾生功德藏，而拔除一切眾生脫出於生死，安住於善法之中。

八、真如迴向：一切善根皆悉迴向一切種智，證得無量清淨的法門，而能示現正覺，說法自在無所畏。

九、無著無縛解脫迴向：尊重一切善根而迴向，成就普賢平等無執的身業、語業、意業，以無執著、無束縛的解脫心，安住於普賢行，成就普賢迴向之地，成就自在神通。

十、住等法界無量迴向：以法布施為首的善根迴向轉動法輪無有障礙，善巧入於一切法界而作種種無量的迴向，如是成就圓滿普賢無量無邊的菩薩行願，證得無量的自在力與清淨。

迴向是非常重要的修行法門，最早的佛教碑銘石刻之一的巴呼特（Bharhut），約西元前一、二世紀時，就有「功德迴向給父母」之銘文，可以想見功德迴向是一切菩薩行、一切普賢行的共同心聲。

〈十地品〉解讀

〈十地品〉是第六會「他化自在天會」唯一的一品，六十華嚴中自〈十地品〉到〈寶王如來性起品〉皆作他化自在天會，八十華嚴於〈十地品〉後多了十定品，所以〈十定品〉以下作第七會「重普光明殿會」，第六會只有〈十地品〉一品。本品的主角是金剛藏菩薩，由他來宣說十地的法義，啟問者是解脫月菩薩。

前品十迴向圓滿，即是賢位圓滿；自入十地之初，便入聖位，從此智果漸次圓滿。此十地的修持，是修菩薩行中最重要的階段，因為從此分證諸佛智慧法身而不退聖位。十地，依龍樹菩薩的《大智度論》所說，有共聲聞的十地及不共聲聞的十地二種，其中不共聲聞的十地指的就是華嚴十地。因此，華嚴十地具有不共聲聞及超越聲聞的特性。

〈十地品〉在印度及中國等地流傳相當廣泛，除了在大部的《華嚴經》之外，也有許多流通的單行經典，並且現存有梵本數種。龍樹時所見的《華嚴經》，主要是〈十地品〉和〈入法界品〉，他還為〈十地品〉作注解，即鳩摩羅什所翻譯的《十住毘婆沙論》。另外，世親也為〈十地品〉作注，即《十地經論》，經菩提流支傳譯至中國後，對中國北方影響深遠，因而出現了地論師及地論宗。從中國華嚴宗祖師注解《華嚴經》的注疏來看，〈十地品〉的注解所佔的分量幾乎都是最龐大的。由以上這些現象來看，〈十地品〉可以說是大乘經典中非常受人喜愛的一部。

本品一開始，佛陀在他化自在天宮中，金剛藏菩薩承著佛陀威神力，而入於菩薩大智慧光明三昧後，便宣說菩薩應修習的十種智慧地。這十地是：一、歡喜地，二、離垢地，三、發光地，四、焰慧地，五、難勝地，六、現前地，七、遠行地，八、不動地，九、善慧地，十、法雲地。而一切諸佛之法，都以這十地為本，十地究竟成就，能得一切智智。

十種智慧地

一、歡喜地：

首先發菩提心，以大悲為上首，智慧增上，用方便善巧攝受眾生，而入於出世的菩薩道，即安住於歡喜地不動。由於他證得的真理與不動相應，異道邪說再也不能誘惑動搖他的心志。此時成就許多歡喜之事，成就淨治地法，成就大誓願，欲利益眾生，所以布施一切物，大捨成就。此地多修習布施、愛語，以布施波羅蜜最為得力。初地成就後便轉入如來行地中，而且大都成為人間的閻浮提王，濟度眾生。

二、離垢地：

欲從初地入二地，須修習十種深心。十種深心是：一、正直的心，二、忍辱柔軟的心，三、性善持戒自在的堪能心，四、調伏五根而不犯戒的調伏心，五、戒行成就而離開罪過的寂靜心，六、純善的心，七、不雜染的心，八、無顧戀的心，九、廣心，十、大心。菩薩以這十種心得以進入第二離垢地。

入二地後，自性遠離十惡業，修十善業道，並拔除度化造作惡業入惡道的眾生。二地菩薩於四攝法中，偏重修持愛語及持戒波羅蜜。菩薩安住此地，多作轉輪聖王，具足七寶法財利益眾生，並且能在一念當中，得證千種三昧，得以見到千位佛陀。

三、發光地：

欲入三地應當發起十種深心。這十種深心是：一、清淨的心，二、安住的心，三、厭捨貪染的心，四、離貪的心，五、不退的心，六、堅固的心，七、光明熾盛的心，八、勇猛的心，九、廣心，十、大心。

入三地觀察有為法如實相，而於眾生起十種哀愍，並發願精進度脫。三地菩薩成就四禪八定，四無量心，得證無量的神通力，又能證得各種禪定三昧，出入自在。於四攝法中多修利行及忍波羅蜜，安住此地時，多作三十三天王，令眾生不捨離三寶；所見諸佛及所證三昧更加增長無法盡知。

四、焰慧地：

由三地修習十法明門入於四地。十法明門是：一、觀察眾生界，二、觀察法界，三、觀察世界，四、觀察虛空界，五、觀察意識界，六、觀察欲界，七、觀察色界，八、觀察無色界，九、觀察救濟一切眾生之同體大悲心的廣心信解界，十、觀察開發遠大佛智見心的大心信解界。

四地菩薩修持三十七道品，捨離身見，隨著所發起的方便智慧，修習佛道及佛道的助緣。得以見到百千佛而供養，多修習四攝法中的同事及精進波羅蜜，安住於此境地時，多作須夜摩天王。

五、難勝地：

以十種平等清淨心趣入第五地。十種平等清淨心是：一、對於過去佛法的平等清淨心，二、對於未來佛法的平等清淨心，三、對於現在佛法的平等清淨心，四、戒的平等清淨心，五、心的平等清淨心，六、去除見地疑悔的平等清淨心，七、道與非道智的平等清淨心，八、修行智見的平等清淨心，九、對於一切菩提分法最上觀察的平等清淨心，十、教化一切眾生的平等清淨心。菩薩摩訶薩用這十種平等清淨心，得以進入菩薩第五地。

五地菩薩成就苦集滅道四聖諦的諦義智慧及一切諦義智慧，了知一切有為法都是虛妄不實，而大悲心更轉為增上，修習一切世間善法而利益眾生。五地菩薩於諸佛所出家為法師，多修習禪波羅蜜於此境地，多作兜率天王，摧伏邪見、利益眾生。

六、現前地：

五地菩薩觀察十平等法入於第六地，應當觀察十種平等法。這十種平等法是：一、一切的法無相，所以是平等的；二、一切的法無體性，所以是平等的；三、一切的法無生，所以是平等的；四、一切的法無滅，所以是平等的；五、一切的法本來清淨，所以是平等的；六、一切的法無戲論，所以是平等的；七、一切的法沒有執取捨棄，所以是平等的；八、一切的法寂靜，所以是平等的；九、一切的法宛如幻化、宛如夢境、宛如影像、宛如聲響、宛如水中的月亮、宛如鏡中的映像、宛如火焰、宛如幻化，所以是平等的；十、相對的有與無，其體性不二無異，所以是平等的。菩薩如此觀察一切法的清淨自在，隨順著法，不違背法的真理，所以得以進入第六現前地，得證明利的隨順法忍，但是還未得證無生法忍。

以大悲為首而觀法無我，觀十二因緣之生滅，入第一義諦中。了知三界所有唯是一心，十二因緣皆依一心而立，而以十種逆順觀察緣起，而入三解脫門，得般若現前，不住有為，亦不住寂滅。六地菩薩多修般若波羅蜜，安住此境地，多作善化天王，令眾生除滅我慢，深入緣起的智慧。

七、遠行地：

修習十種方便智慧，以發起殊勝行道，而入於第七地。應當修習十種方便智慧，以發起殊勝的行道。是哪十種呢？就是：㈠雖善於修行空、無相、無願三昧禪定，卻仍慈悲不捨眾生；㈡雖證得諸佛平等的法，但仍恆常喜樂供養諸佛；㈢雖趣入觀空智門，但仍勤奮積集福德；㈣雖遠離三界，但仍莊嚴三界；㈤雖然究竟寂滅種種的煩惱火焰，卻仍能為一切眾生生起息滅貪、瞋、癡的煩惱火焰；㈥雖知諸法宛如幻化、宛如夢境、宛如影像、宛如聲響、宛如火焰、宛如變化、宛如水中月亮、宛如鏡中映像，自性本體都是無二無別的，但仍能隨順心念的作業而生重量差別；㈦雖知一切國土猶如虛空不實，卻能用清淨妙行莊嚴佛土；㈧雖知諸佛法身的體性本來就不存在，而仍能用三十二種相好莊嚴其身；㈨雖知諸佛的音聲性空寂滅不可言說，卻能隨順眾生而發出種種不同的清淨音聲；㈩雖追隨諸佛，了知三世只是心念的變現，卻能隨順眾生的不同理解，用種種相貌，在種種時間，在種種時劫，修習一切的菩薩行。

菩薩用以上十種方便智慧，而興起殊勝的行持，從第六地進入第七地；

進入之後，這些殊勝的行持常現在前，名為：安住第七遠行地。

菩薩安住在第七地之後，念念入於無量世界作無量佛事，圓滿一切菩提分法，進入智慧自在的行業。菩薩在初地的時候，發願求取佛法，二地離心垢，三地願增得法光明，四地入道，五地順世所作，六地入甚深門，七地起一切佛法成智功用分，八地以上由此智而成無功用行。七地以願智而不染染行、不入淨行，但還不能稱名為超煩惱行，八地以上的無功用行才名為超煩惱行。菩薩從六地開始，能入於滅盡定，現在安住七地，則能念念入於滅盡定。七地乘著方便波羅蜜船，行於真實的實際海，因為過去發起的願力，所以不證入涅槃。

八、不動地：

菩薩在七地時，精進修習方便的智慧，善巧聚集輔助修道的善法，進入無量的智慧，證入一切法，遠離一切心念意識與分別的念頭，毫不執著貪取，所以能證入一切法如虛空的體性，成就無生法忍，即時得以趣入第八不動地。

入八地功用皆謝，得無功用行，然而諸佛勸請當成就如來果德而精進不懈，所以菩薩不證入涅槃、墮入二乘。八地菩薩多修願波羅蜜，安住此境地多作大梵天王，能演說三乘無有障礙。

九、善慧地：

菩薩以無量智慧思惟觀察，為了求得更殊勝的寂滅解脫，他又修習如來的智慧，證入如來的秘密法，隨著諸佛轉動大法輪，不捨大悲的本願力，因此得以證入菩薩的第九善慧地。

九地菩薩於一切法如實了知，而了知眾生諸行差別而教化之。九地能得四無礙智，得總持陀羅尼，能為眾生以一音普說令各得歡喜，多修力波羅蜜，安住此境地，多作二千世界的主宰——大梵天王。

十、法雲地：

隨順如來行而入一切智受職位，如轉輪王太子之受灌頂而受王職，安住如來十力，墮入佛數，是第十地法雲地。以一切智知一切集，知諸佛入劫智，得不思議解脫。能持無量如來法雲、法雨，如大海能持，所以稱為法雲地。此菩薩智波羅蜜增上，而多作摩醯首羅天王。菩薩十地之修行，從菩提心流出大願水，以四攝法充滿眾生，次第而流入一切智海。十地因於佛智海而有差別，如十山王同在大海而有不同名稱。十地有十相不可移奪，有十種特勝如摩尼寶勝出一切。

〈十定品〉解讀

〈十定品〉的梵文名為〈如來十三昧品〉，以如來所證的十種三昧，雖是普賢菩薩所證所說，但因為是等覺位，亦得以名為如來，但漢譯本略去了「如來」二字。本品的單行經有西晉竺法護翻譯的《等目菩薩所問三昧經》三卷。「等目菩薩」在本經中作「普眼菩薩」，是本品的發問者，所問的內容便是十種三昧，而由普賢菩薩回答。

原來六十華嚴的譯本並沒有〈十定品〉第二十七，這一品只出現在八十華嚴。本經中從這一品起十一品是第七會，即重會普光明殿會，因為第二會也是普光明殿會，所以第七會為重會。十地品以前是菩薩歷階位而修持，本品以下則在闡明普賢菩薩因圓果滿、德用圓備之等覺及妙覺位。

〈十定品〉的開始，佛陀仍是在菩提場的普光明殿，而入於剎那際諸佛三昧，往於無相中，與所灌頂位的菩薩在一起。普眼菩薩申問佛陀，普賢菩薩及所有安住普賢菩薩行願的菩薩，成就了哪些解脫三昧，能在各種菩薩廣大三昧中或入定、或出定、或適時而安住？

佛陀回答說，普眼菩薩為利益過去、未來、現在三世的所有菩薩，而提出這個問題。普賢菩薩現在就在這裡。他所成就的不可思議自在神通力，超出一切菩薩，不易見到。

那時，大會中的菩薩，當聽到普賢菩薩的名號，立即證得不可思議的無量三昧。他們對於普賢菩薩都心生尊重，渴望能見到普賢菩薩，他們極目四望，怎麼看都看不到普賢菩薩。

經過眾菩薩的頂禮啟請，普賢菩薩即以解脫神通力為他們示現色身，而佛陀便勸普賢菩薩宣說十大三昧，令請菩薩能善入成滿普賢菩薩所有行願。普賢菩薩便承力演說此十大三昧：

一、普光大三昧：菩薩有十無盡法，發十種無邊心，有十種入三昧差別智，有十種入大三昧善巧智。

二、妙光大三昧：能入諸世界，諸世界亦來入此身。而恆真如性，能普入、普觀、普思、普了，因為一切法如幻的緣故。

三、次第遍往諸佛國土大三昧：菩薩過無數世界而於彼入此三昧，或剎那入，或久劫入。入已，明見一切世界。

四、清淨深心行大三昧：供養無數世界諸佛而不起佛出世、涅槃想，雖如夢幻而憶持不忘。

五、知過去莊嚴藏大三昧：能知過去一切法之次第，此三昧名為過去清淨藏；而由三昧起，受佛十種灌頂法。

六、智光明藏大三昧：能知未來一切劫諸佛而不離一念，又入十種持門，知差別相，令眾生入十種不空。

七、了知一切世界佛莊嚴大三昧：能次第入一切世界，見佛及眾會，見自身及佛身。成就十種速疾法，得十種法印，得十種廣大智慧，得十種最清淨威德身。令眾生得十種圓滿，為眾生作十種佛事。

八、眾生差別身大三昧：安住此三昧得十種無所著，而出入自在。得十種稱讚、十種光明照耀、十種無所作，境界自在，終到十種神通彼岸。

九、法界自在大三昧：於六入處乃至一一毛孔入三昧，得十種海：復得十種殊勝；復得十種力；從四辯才流出諸行，入一切智海，亦以四智河利益一切令入一智海，而常修普賢行願不倦無染。

十、無礙輪大三昧：能住無礙身、語、意業，乃至轉無礙法輪。且有一蓮華而生其上，能證一切佛法而住普賢行。入普幻門三昧，住師子奮迅智。住十大法藏，得十種法。同諸佛而不名佛、不名十力，因為修普賢行不停息，所以名大三昧。安住於普賢行願當中，相續不斷，心地清淨。

從〈十定品〉進入到〈十通品〉、〈十忍品〉，這些都是到達等覺位的菩薩境界；到這裡已經是幾乎到達佛圓滿境界了，但是還沒有完全到達佛的境地。

〈十通品〉解讀

〈十通品〉是第七會的第二品，此品亦由普賢菩薩來演說十通之法。本品在六十華嚴作〈十明品〉，慈恩寺梵本及西藏本皆作〈神通品〉。智慧明照故名「明」，智慧通達自在無礙故名「通」，通即是神通之意。

本品宣說十種菩薩不可思議的神通妙用，依次是：

一、他心通。以他心智慧神通，了知無量世界無數眾生心。

二、天眼通。以無礙清淨天眼智慧神通，見到無數眾生的生死。

三、宿命通。以宿住隨念智慧神通，了知自己及無量眾生過去無量劫之事。

四、未來際通。以知盡未來際劫智慧神通，了知未來一切事。

五、無礙清淨天耳通。成就清淨無礙天耳智慧神通，於一切音聲自在聽聞。

六、無體性無動作往一切佛剎通。安住在無體性無動作往一切佛剎智慧神通，一聽聞佛名，即能在本處不動，而示現自身在彼國土，而實無所往。

七、善分別一切言辭通。以善分別一切眾生言音智慧神通，了知一切世界種種眾生的言辭。

八、無數色身通。以出生無量阿僧祇色身莊嚴智慧神通，了知一切法遠離色相，而以無相入於法界，因而出生種種妙色。

九、一切法智通。以通達一切佛法的法智通，了知一切法無來無去、非一非異。諸法從緣起，隨順寂滅性，非世諦非真諦，而以大悲辯才演說妙法。

十、入一切法滅盡三昧通。以一切法滅盡三昧智慧神通，不捨離大悲，念念趣入於一切法寂滅三昧。若能安住於這十種神通，就可完全證得一切三世的無礙智慧神通。

〈十忍品〉解讀

〈十忍品〉仍是由普賢菩薩宣說。「忍」是忍解印可之意，十忍位是等覺位的後心。以此忍斷除微細的無明，但亦可通達前五位（信、住、行、迴向、地）。

十忍的體性是智慧，一般來說忍是因、智慧是果，實皆是以智慧為體。大乘行或普賢行，皆以忍而不證入實際，為趣向佛果的方法。否則證入涅槃將落入聲聞、緣覺二乘，則不能圓滿菩薩行，是非常可惜而違背發菩提心的初衷。

本品內容主要是說得十忍則能到達一切菩薩無礙法忍的境地，此十忍是：

一、音聲忍。於佛陀所宣說的法音，不驚、不怖，樂於聞、思、修，深心信奉開悟了解。

二、順忍。能思惟觀察諸法，並且平等看待，無有違背。隨順因緣了知一切，內心清淨，正確地安住修習，趣入成就。

三、無生法忍。不見任何法生起或消滅。

四、如幻忍。知一切法如幻不實，都是從因緣生起，得以從一法中解悟多法，或以多法中解悟一法。

五、如燄忍。了知一切法等同太陽的火燄，如實觀察，能夠了知諸法，示現得證一切圓滿。

六、如夢忍。了知一切世間如夢一般，如夢想而分別，如夢覺醒了知是虛幻。

七、如響忍。了知一切音聲如空谷迴響虛妄不實，而能示現種種善巧言句轉法無礙，隨著眾生的類別根器而使他們解悟，智慧明了通達。

八、如影忍。於水、鏡中現影，而不漂度生死、不沈溺涅槃。能如影像般普遍示現，沒有任何障礙。

九、如化忍。了知一切世間皆如幻化，諸法自性本無來去，不是有也不是無，安住此法忍，能滿足諸佛的菩提道法，利益眾生。以願力化現利益眾生。

十、如空忍。了知一切法界如虛空無相、無起、無二，又菩薩智慧如虛空清淨、無邊而含持一切法。成就此忍證得如虛空的身、無來之身、無生的身等種種身。

末了再重頌覆述十忍之義。這十忍近似《般若經》的精神，但更加入了普賢菩薩的無盡行願，而有種種不可思議的成就。

〈阿僧祇品〉解讀

〈阿僧祇品〉是第七會的第四品，自此以下三品，總明等覺的深奧。本品在六十華嚴及梵本皆名為〈心王菩薩問阿僧祇品〉。本品的發問者是心王菩薩，請問佛陀阿僧祇的意義。

本品由心王菩薩啟問諸佛所知的數量，而由佛陀回答。回答分兩部分，先是數量的名稱大小；次以偈頌說明數量的意義。此義是唯佛乃知，所以難以了知、難以宣說。偈有一百二十，前六偈說明普賢德行廣大，其餘說明佛德深廣難測。

「阿」是無之意，「僧祇」是數，所以阿僧祇是「無數」之意。經論中常用「僧祇」為十大數之首。「阿僧祇」是佛經裡的數字觀，使聞者可以從數字的如幻演說裡，通達菩薩的境界。

因為數字本身是如幻的，數字沒有實相，所以能透過對數字的理解，了悟數字的如幻性，來了知事間的實相。不但了知，而且能現證，現證如幻性，從這邊演化出神通。

數字本身在《華嚴經》裡面，是很殊勝的技藝，能夠推算到不可思議的他方世界，在《華嚴經》裡將它視為神通，為一種神通境界，這是很奇妙的。就像在現代，電腦玩得很好的人，也可說是一種神通能力。《華嚴經》中將這些能夠騰地飛空的種種境界、巧妙的技藝，都視為神通。

◆如幻的數字

經中記載：爾時，心王菩薩白佛言：「世尊！諸佛如來演說阿僧祇無量、無邊、無等，不可數、不可稱、不可思、不可量、不可說、不可說不可說。世尊！

云何阿僧祇乃至不可說不可說耶？」佛告心王菩薩言：「善哉！善哉！善男子！汝今為欲令諸世間入佛所知數量之義，而問如來、應、正等覺。善男子！諦聽！諦聽！善思念之，當為汝說。」時，心王菩薩唯然受教。

佛言：「善男子！一百洛叉為一俱胝，俱胝俱胝為一阿庾多，阿庾多阿庾多為一那由他，那由他那由他為一頻波羅，頻波羅頻波羅為一矜羯羅，……不可思轉不可思轉為一不可量，不可量不可量為一不可量轉，不可量轉不可量轉為一不可說，不可說不可說為一不可說轉，不可說轉不可說轉為一不可說不可說，此又不可說不可說為一不可說不可說轉。」

到最後不可言說不可說、充滿一切不可說、不可言說諸劫中、說不可說不可盡，這些都是數目字，都是數字單位，相當於中國的個、十、百、千……。

從數字裡面要了悟一切都是由因緣所生，一切都是如幻，如幻而能夠示現。一切如幻才能計算，數字是計量，計量是因緣所生，所以說一切緣起都是如是。了悟一切是由「能立」者所立，一切「我」都是相對於「你」所安立，一切現前如幻，了知如幻，了知世界量的話，就能夠推出種種的因緣來。如果有這樣的境界，就會生起天眼通，能夠觀緣起，觀未來；能掌握到所有的因緣，掌握到所有的數量，就可以推測未來。也許有人會說：「那是推演出來的，而不是看到的。」

如果了知一切都是推演出來，一切的緣起都能掌握，那麼到底是推演還是事實？用如理的思惟，推論到最極點，跟現證是一樣的，因為那就是現證。

再從意念上面來講，無量無量的數字跟一，到底是誰大誰小？我們最大的障礙就是思惟的障礙、思想上的障礙。〈阿僧祇品〉用這種方式將我們思惟上、思想上的障礙都去除了，使我們在心中沒有任何的思惟跟思想的殘渣，沒有任何在念起上的問題、意念上的問題。所以，這不只是算術，而且在算術中體會體性。而科學不也是如此，它用數學程式證明如一，一切皆如是。

但是〈阿僧祇品〉和科學不同，其不只是讓人「思惟」這些數字是一樣的，而且是「現證」；如果有這種覺受、證量時，絕對是個偉大的數學家。但是這種覺受與證量，是生命內層的東西，不是一般的數學家所能了知的；〈阿僧祇品〉以數字為現實，但是很多數學家卻是以數字為「我」，整個宇宙的一切分析到最後，只剩下一堆數字。

以同理來看，一個學政治的人也可以說宇宙一切不離政治。他甚至可說石頭跟石頭間有爭執，因為有地心引力，大石頭壓住小石頭，小石頭被擊得粉碎；學政治的人可能會視其為政治間的相互欺壓。這些話都可以說得通，也都可以是有道理的，但是並不一定非如此不可。所以，最後要能體悟政治、數學也都是如幻的，有這樣體悟的話，才會回到根本，體悟到阿僧祇的根本如幻。

如此思惟到極點，跟觀察自己怕什麼是一樣道理的，觀察自己所怕的，那是自己心中的盲點，觀察到最後，把所有心中的根本盲點都破掉，破掉的時候，我執就破掉了，其他的盲點也破掉了。

普賢菩薩的德行無盡，窮盡不可說的劫數也無法稱揚讚歎得盡。而一一毛端又有不可說之普賢，所以法界普賢的德行無盡。其次佛德無盡中說明國土無盡，而佛陀亦不可數。佛陀依正二報能自在融攝入出，自在利益眾生。對於這些，菩薩能完全分別說明，也能說一切的種種菩薩因行。如三業勤勇行、應器攝生行、遊方供佛行、廣修十度行、遊剎自在行、調伏眾生行、三業自在行、願智自在行，所以讚歎一切德行無盡。

〈壽量品〉解讀

〈壽量品〉說明佛國剎土住世的長短，別行的經典名為《無邊佛土經》，即是以佛土的久暫說明佛陀住世的長短。而或長或短，法性等同，本無長短可言；或生或滅，而實無生滅。因此《金光明經》〈如來無量品〉說如來壽量無盡，《法華經》〈如來無量品〉說如來久遠以前已成佛終不入涅槃，都是壽量無盡之意。

本品由心王菩薩宣說諸佛世界久暫之次第，是講世界相互之間的時間關係，首為娑婆世界釋迦牟尼佛剎土，其一劫為極樂世界之一日夜；終為勝蓮華世界賢勝佛剎土，普賢等菩薩住在其中。

經中記載：爾時，心王菩薩摩訶薩於眾會中告諸菩薩言：「佛子！此娑婆世界釋迦牟尼佛剎一劫，於極樂世界阿彌陀佛剎為一日一夜。極樂世界一劫，於袈裟幢世界金剛堅佛剎為一日一夜。」

「劫」是時間單位，如果依相對的時間來看，在穢土與淨土修行時所進展的速度上，則有明顯的差距。因為在娑婆世界穢土中修行，是為甚難，所以在此修行一日一夜所成就的功德，和在極樂世界淨土修行一日一夜所成就的功德，是可以等同的。因此，就娑婆世界與極樂世界的時間關係為一劫比一來看，則我們在此修行成就功德的速度上，是快於極樂世界眾生一劫倍的。

當然，在極樂世界修行，會比較安全、保險，而且不會退轉；但如果是大精進的人在娑婆世界修行，不是會快很多嗎！

〈諸菩薩住處品〉解讀

〈諸菩薩住處品〉仍是由心王菩薩宣說。本品承上二品而宣說與娑婆世界有緣的菩薩住處，雖然〈阿僧祇品〉說法界毛端有無量不可說的普賢菩薩，但此品中則舉比較有緣的菩薩住處來說明。

其中東北方有清涼山，文殊菩薩住於其中。在中國認為清涼山就是五台山，因為五台山冬積堅冰而夏仍飛雪，所以又稱為清涼山，是文殊菩薩的住處。

另外，有震旦國的那羅延窟，有說是五台山南台的那羅延窟，有說是東台的那羅延窟。也有說是河南省安陽靈泉寺的大住聖石窟，此窟是隋代高僧靈裕開鑿的，石窟門右側是那羅延神王，左側是迦毘羅神王。那羅延王即是金剛力士，此窟是靈裕擔憂法滅而建造的。

〈佛不思議法品〉解讀

〈佛不思議法品〉是第七會普光明殿會的第七品，前六品宣明菩薩十地後的勝進行用，此品之後的三品闡明佛陀果德相的差別。如來的果法不可思議，所以稱為佛不思議法。

本品所提出的如來果法不可思議有十種，即諸佛國土不可思議，諸佛的本願、種性、出現、佛身、音聲、智慧、自在、無礙、解脫不可思議。

佛果是如何不可思議呢？青蓮華藏菩薩以三十二門回答，每一門都回答這十問。

其中一、二門答國土問；念念出生以下二門答本願問；不思議境下二門答種性問；普入以下二門答出現問；離過清淨以下五門答身問；演說以下二門答音聲問；最勝以下二門答智慧問；自在以下八門答自在問；決定以下三門答無礙問；一切智住以下答解脫問。

◆如來果法十種不可思議

諸佛國土不可思議是說諸佛有十種住及有十種法普遍於無量法界。

本願不可思議是諸佛有十種念念出生智及十種不失智。

種性不可思議是諸佛有十種不可思議境即能生出十種智。

出現不可思議是說諸佛有十種普入法及十種廣大法。

身不可思議是說諸佛有十種大功德離過清淨、十種究竟清淨、十種佛事、十種無盡智海法、十種常法。

音聲不可思議是說諸佛有十種演說無量法門及十種為眾生作佛事。

智慧不可思議是說諸佛有十種最勝法、十種無障礙住、十種最勝無上莊嚴。

自在不可思議是說諸佛有十自在法、十圓滿法、十善巧方便、十廣大佛事、十無二行、十住一切法、十盡知一切法、十廣大力。

無礙不可思議是說諸佛有十決定法、十速疾法、十常憶念清淨法。

解脫不可思議是說諸佛有十種一切智住、十種佛三昧、十種無礙解脫。

〈如來十身相海品〉解讀

〈如來十身相海品〉承前品也是說佛陀果德，而以佛陀有如大海般廣大的莊嚴妙相為主題。十身在十地品第八地中說兩種十身：一是眾生身、國土身等，二是菩提身、願身等。如來以此十身而示現無量莊嚴相海，以果德無盡故，相海亦無盡。

《觀佛三昧海經》辨相有三類：略者三十二大丈夫相，中者八萬四千相，廣者無量相，即《雜華經》中普賢、賢首等說。所說的《雜華經》即是《華嚴經》。

本品由普賢菩薩宣說如來相海，略舉了九十七相以作代表，結語則說毘盧遮那如來有十華藏世界海微塵數的大人相，以明如來相海無盡。九十七相中，頂相佔三十二，等於其他經所撰佛陀共三十二相的數目，所以微妙莊嚴當選超過之。另外，第五十三相提到佛胸前有卍字，這是其他經典比較少提到的。

〈如來隨好光明功德品〉解讀

〈如來隨好光明功德品〉承前品說如來十身相海後，繼續闡明如來隨形微妙相好的光明功德，以增益相海之莊嚴殊勝。

此隨好以光明為主，與其他經論所說八十隨形好不同。主要是因為此如來是毘盧遮那如來，以光明大日照耀為根本特徵的緣故，所以本品以光明功德為主題。

本品由佛陀自己宣說，聞法者是寶手菩薩。文分二段，前段略說隨好果德，後段廣說菩薩因行。前先說佛有隨形好名為圓滿王，出熾然光明而有光明眷屬。後說菩薩於兜率天時，有光幢王光明，足下有光明普照王千輻輪，而且具足圓滿王隨好光明，常放四十種光明，地獄眾生觸者即生兜率天中。

兜率天中自然化現天鼓而為諸天子說法，並且教導天子悔除過惡的方法，觀一切業如幻如影，雖有果報而無去來。如此是真實懺悔，諸天子因此得無生法忍，發菩提心，並且以華雲供養毘盧遮那佛。

〈普賢行品〉解讀

「普」是遍的意思，「賢」是善、道、因之意。澄觀解釋普賢行的意義是「德周法界為普，至順調善曰賢，依性造修曰行」。所以普賢行是由至善之德起修的菩薩行。因此普賢行為圓因之行，所成之果即〈性起品〉所明之性起果海。

〈普賢行品〉是第七會重普光明殿會的第十品，由普賢菩薩宣說普賢行所構成。本品品名，《六十華嚴》作〈普賢菩薩行品〉，梵本作〈說普賢行品〉。

本品據法藏《探玄記》所判，在「修因契果生解分」中，是與〈性起品〉同來闡明「修顯因果」相對。修生因果是明差別因果，而修顯因果卻是彰顯平等因果，也是所謂的自體因果。普賢行的自體平等因果，是法界緣起的因果實德，由海印三昧力所顯，與修生因果不同，而有本有的，是性起的。

法藏《探玄記》說普賢行有十種，即：一、通達時劫，二、了知世界，三、識解根器，四、了徹因果，五、洞明理性，六、鑒察事相，七、常在定中，八、恆起大悲，九、神現通達，十、常入寂滅。而此十種行又各具十門，因此成百門普賢行。事實上法藏所說普賢行只是略說，普賢行是無量無盡的，舉十種、百門只是略舉以成無盡之意而已。

普賢行，澄觀也舉十種普遍之義以彰顯行德無盡，即：一、所求普，二、所化普，三、所斷普，四、所行事行普，五、所行理行普，六、無礙行普，七、融通行普，八、所起用普，九、所行處普，十、所行時普。這十種普賢行是重重涉入而無雜的。因此善財童子才入普賢一毛，所得法門即遠遠超過由其他善知識所得無數倍，這實在是由於普賢行無窮無盡之故。

本品的內容以長行及偈頌兩大部分來說普賢行。普賢菩薩說明修持菩薩行的菩薩，不應對其他菩薩生起任何瞋心。因為瞋心一起便成就了百萬障礙之門，而應該齊勤修十種法，即：一、不捨棄眾生，二、視一切菩薩如同諸佛如來，三、不誹謗任何佛法，四、了知一切國土絕無窮盡之時，五、信心悅樂修持菩薩行，六、不捨棄平等虛空法界菩提心，七、觀察菩提證入如來的力量，八、精勤修持無辯礙才，九、教化眾無有疲厭，十、安住一切世界，心無所執著。菩薩安住這十法，便能具足十種清淨，

接著具足十種廣大智慧，而普遍趣入十種境界。由此十種普入而安住十種勝妙的心，獲得十種佛法的善巧智慧。由如此的修行，便只需稍作功力，便能立刻證得無上正等正覺，佛具足一切佛法，完全等同過去、現在、未來的三世諸佛教法。

當普賢菩薩如此宣說後，十方菩薩各從普勝世界普幢自在佛處前來集會，為普賢菩薩作證。

接著，普賢菩薩以偈頌來演說菩薩行、如來菩提界、大願界等。此偈頌共一百二十一偈。依澄觀所說，可分為二部分。前二十四品是普賢菩薩說明其宣演偈

誦的動機，後面九十七頌則正式辨明普賢行之內容。正說著賢行中又分二部分，前六十七頌是明即悲的大智之行，末後三十頌是說即智的大悲行。慈悲與智慧交徹，所以成就無量無盡的普賢因行。

一切菩薩行即是普賢行

在《華嚴經》中一直宣示一切菩薩行，而普賢菩薩可以說是一切菩薩行持的代表，一切菩薩行都是普賢行。成就具相普賢菩薩，即是一切菩薩行所匯歸而成的總相。

「普賢」二字代表廣大的菩薩行，其不僅是普賢行的表徵，也是菩薩行的表徵。任何一個眾生，實踐菩薩行時，就是普賢菩薩，而圓滿普賢的果位就是毘盧遮那如來，眾生具足普賢之因，也就是毘盧遮那佛性。我們的佛性之身就是普賢因，也就是成佛之因，普賢行者就是一切菩薩行者，其總匯點就是普賢菩薩。所以我們修習這一切殊勝普賢行，修習一切菩薩行到最後即是圓滿普賢菩薩果位，果地普賢就是毘盧遮那佛。

〈如來出現品〉解讀

〈佛不思議法品〉、〈如來十身相海品〉、〈如來隨好光明功德品〉，這三品都在顯示佛陀的果位境界。到「普賢行品」以普賢行作總結，然後到〈如來出現品〉；以上各品，其實就是在彰顯從因到果的次序。

〈如來出現品〉是第七會重普光明殿會的最後一品，是由普賢菩薩說明如來出世的因緣構成。本品品名《六十華嚴》作〈寶王如來性起品〉；慈恩寺梵本作〈說如來性起品〉；竺法護翻譯的單行經作《佛說如來興顯經》。舊譯的「性起」，據慧苑《刊定記》所說，梵本中並無「性」字，「起」應是「生」之譯。所以「性起」已加入了本品內文所顯的意義了，而不論「興顯」、「起」、「出現」，都同是「生」的翻譯。

本品在整部《華嚴經》中，地位相當重要，尤其舊譯為「性起」，使得「性起」思想成為華嚴宗思想的一個特色。

法藏《探玄記》卷十六即用相當的篇幅來說明性起的意義。智儼在《孔目章》卷四〈性起品明性起章〉中，解釋「性起」到：「性起者，明一乘法界緣起之際，本來究竟，離於修造。何以故？以離相故，起在大解大行，離分別菩提心中，名為起也。由是緣起性故，說為起。起即不起，不起者是性起。」智儼的「起即不起，不起者是性起」，是「性起」的名論。法藏《探玄記》則以十門論性起，即：一、分相門，二、依持門，三、融攝門，四、性德門，五、定義門，六、染淨門，七、因果門，八、通局門，九、分齊門，十、建立門。在「分相門」中，法藏分別起為理性起、行性起和果性起，本品主要是在說明果性起法。而「定義門」中則以四種道理解釋佛乃待緣成道何以稱性起之原因，主要是由果海、性體、緣成無性、淨用順真等四個角度來說明稱性而起之理。

本品與〈普賢行品〉相比，一是說明修顯之如來果德，一是明解修顯之普賢圓因，雖是平等因果，而不壞因果相，所以先因後果。性起的自體因相，即普賢無盡大行；而自體果海，則是絕於言說的佛海。所以上品明普賢行，而本品則明如來出現、如來性起。

本品可分成七個部分：一、佛陀放大光明加持，二、本身往昔的因緣，三、請說，四、正說如來的出現，五、出名受持，六、示現瑞相證成佛果，七、以偈頌總攝。

首先佛陀由白毫相中放光，名為「如來出現」，即光中有佛成道之相等，而入於妙德菩薩頭頂。妙德啟請後，佛陀再由口中放出光明，名為「無礙無畏」光明，普照十方窮盡虛空法界一切世界，進入於普賢菩薩口中，光明進入菩薩口中之後，普賢菩薩的身體及他的師子座突然變大。妙德菩薩啟問普賢菩薩佛陀放光瑞相的因緣，普賢菩薩宣說本昔因緣，即往昔如來如此放光，普賢便宣說如來出現法門。

經由妙德請說之後，普賢便正說如來出現因緣。妙德請說有十，即：如來出現總說、身體的妙相，語言音聲，心意三業、境界、一切作為、證成佛道、轉動法輪、示現證入般若涅槃、見聞親近佛陀所生的善根利益等十法。

◆如來出現的十種譬喻

總說如來出現，將無量因緣略攝為十相，並列舉十種譬喻說明。

一、大千世界的興起造成的譬喻，即大千世界乃無性眾緣合和而成，佛陀的出世亦隨順法的體性，無生無作而成就。

二、洪霔大千喻，譬如三千大千世界將形成時，有宇宙的大雲降雨，這個宇宙雨稱為：洪霔。洪霔大千喻，只有成就如來出現之大法雨，唯大菩薩能執持承受，如同只有大千世界能持洪霔大雨一般。

三、雲雨無從喻，即雲雨來無所從來、去無所至，完全是依因緣而起，如來出世也是如此。

四、大雨的數量難知喻，此大雨數量只有摩醯首羅了知，如來出世雨下的大法雨，唯有菩薩能了知。

五、大雨成敗喻，即佛陀能滅除眾生的煩惱，而成就智慧德行。

六、一雨隨別喻，雖然如來的出現雨下大悲一味的法水，但隨順不同因緣說法時，就有無量的差別，即一音說法隨類各得其解。

七、勝處先成喻，即所教化善根不同而有差異。

八、事別由因喻，眾生善根不同，所以如來出生種種不同功德。

九、四輪相依喻，如來慈悲益生，慈悲依善巧方便，善巧方便如來出現，如來出現依止無礙智慧光明，但無礙智慧光明卻沒有依止人事。

十、大千饒益喻，如來出現饒益無量眾生。總說十喻後偈頌重說。

◆如來身相出現的譬喻

普賢菩薩接下來說如來出現的身相有十相，也舉十個譬喻說明。一、虛空周遍，二、空無分別，三、日光饒益，四、日光等照，五、日益生盲，六、日光奇特，七、梵王普現，八、醫王延壽，九、摩尼利物，十、寶王滿願。其中日光平等普照的譬喻中，日光先照高山，後照平地，為中國華嚴、天台等判教時相當重要的經證。而日益生盲喻，則是如來利益眾生無量的表現。

如來出現的音聲也有十相十喻。一、劫盡唱聲，二、響聲隨緣，三、天鼓開覺，四、天女妙聲，五、梵聲及常，六、眾水一味，七、降雨滋榮，八、漸降成熟，九、降霔難思，十、遍降種種。

如來心意也有十相十喻。一、虛空無依為依，二、法界湛然，三、大海潛益，四、大寶出生，五、珠消海水，六、虛空含受，七、藥王生長，八、劫火燒盡，九、劫風持壞，十、塵含經卷。

◆如來正覺的境界

其次，如來正覺的境界無量無邊，心境界無量即是如來境界無量。此有三喻：一、降而無從，二、海水從心，三、海水宏深。如來正覺所行有二，即無礙行及真如行。

如來之出現成正覺乃由行因而致之果，此成正覺共以十門說明：一、總明體相，二、印現萬機，三、性相甚深，四、三輪平等，五、因果交徹，六、體離虧盈，七、相無增減，八、用該動寂，九、周於法界，十、普遍諸心。

如來的出現轉動法輪是：成證正覺之後理必當轉的，但如來以心之自在力能無起、無轉而轉動法輪，轉動法輪有二種譬喻之義：文字無盡及遍入無住。

如來入涅槃，實如來無出世，也不入涅槃，為眾生而示現涅槃，以由此因緣得度。於如來見聞所種善根，必定不虛，功德深遠直到佛地。

此如來功德深遠之法門為如來秘密之藏，所以也有一別行經經名作《如來秘密藏經》。普賢菩薩說完如來出現十法後，佛陀示現瑞應，十方普賢前來證成，而後普賢菩薩說偈讚佛，總結如來出現之義。

〈離世間品〉解讀

修習華嚴行者，要了解從本經初始，〈如來名號品〉到〈如來出現品〉，都是講如來的果位境界；而從「如來名號品」到此處共三十一品，就是古德所謂「修因契果生解分」，從因到果，在整個體系上面，很有次第明細地如是解說。現在進入到另一個層次——〈離世間品〉。

〈離世間品〉是第八會三重普光明殿會的唯一一品，在五分中是第四分「託法進修成行分」，在五周因果中是第四周「成行因果」。因為〈性起品〉以前已說「修因契果生解」，現在要依解起修。「解」是大解，「行」是大行，依大解而起大行，大行即是離世間行。所以〈性起品〉以前是自體性起因果，而〈離世間品〉則是成離世間行之因果。性起因果已明普賢因行入如來性起，離世間的成行因果則將普賢因行與如來性起合一，總為普賢的離世間大行。

離世間有多重意義，法藏《探玄記》說有四重，一、妄執是世間，妄執即空便是離，所以名離世間。二、緣起為世間，緣起無自性即離，所以為離世間。三、一切行常在世是世間，而非世所攝名離，所以為離世間。四、人天是世間，二乘即離；二乘為世間，菩薩即離；菩薩的分段及變易生死即是世間，佛果究竟圓滿才是離。本品的成行因果，皆是世間，但卻又不是世間行，所以名為離世間。

〈離世間品〉有西晉竺法護譯的《度世品經》六卷之別譯本，及已失傳的別行本《普賢菩薩答難二千經》。〈度世品〉即「離世間」之意，而《普賢菩薩答難二千經》則是由本品內容來立名的，即本品乃由普慧菩薩問菩薩行二百問，而由普賢菩薩回答。每一問都以十法回答，所以對於二百個問難，普賢共有二千答。因此「普賢菩薩答難二千」便成為本品的主要內容，而以此立名。

從這邊開始講兩千種修行法，即成就佛果位的兩千妙行，來解釋成佛的妙因，及八相成佛；這是菩薩最後成就佛果的清淨因緣。這些對我們而言，可能使人感覺很不可思議、很難，但如果我們心中的障礙都去除時，就不會如此了。其實，這些都是體性上的東西，如果從外相而求，的確難以達到。但若了知其是體性中事，就會發覺到一切所示所為，跟這些都是相應的；如此，經典上所說的就是在印證，印證所修，而不是向外修學。要了知諸佛華嚴境界，必須先要有這樣的體會。如果錯認根本，一味向外求覓，那就會越修越迂曲複雜。

本品的名稱在經文中尚舉出十種，依次是：一、「一切菩薩功德行處」，即本品乃是教導一切菩薩生起功德行之處。二、「決定義華」，即本品乃是總結決定菩薩行之義，因為此行一定能感大果之故。三、「普入一切法」，即令一切菩薩智慧契入一切法，證入所證之法。四、「普生一切智」，即生起諸菩薩智慧。五、「超諸世間」，即依本品教法而行持，必定能超出世間。六、「離二乘道」，即一切都是菩薩大悲所起之萬行。七、「不與一切諸眾生共」，即本品所說皆不是眾生行，一一皆是菩薩圓融行。八、「悉能照了一切法門」，即是顯示一切法門之正義，而且軌則具足。九、「增長眾生出世善根」，即本品所說皆是離相善行，即理涉事之法。十、「離世間法門」，即本品所說之行皆不是世間所攝，卻即事而真。

〈離世間品〉的內容分長行和結頌兩部份。長行可簡分為序、正、流通三分。

序分即世尊於菩提樹下普光明殿中，坐蓮華藏師子座上，與無數補處菩薩同住。而普賢菩薩便趣入「佛華莊嚴三昧」，發出聲音普聞而後起定。

正宗分即是普慧菩薩問普賢菩薩二百零一個有關菩薩行的問題，普賢菩薩對每一種行都以十種法來回答。

流通分則如前所述，結說本品十種名稱以流通修行。古德將二百問分作六類：一、前二十問問十信行。二、發普賢心以下二十問問十住行。三、力持以下三十問問十行行。四、不可思議如實以下三十問問十迴向行。五、身業以下五十問問十地行。六、觀察以下五十一問問佛果究竟住行。這六個階位在《華嚴經》中，共演說三次。即〈性起品〉以前是第一次，〈離世間品〉是第二次，〈入法界品〉是第三次。而〈離世間品〉所說，主要是以普賢行來該攝六種階位之理。

偈頌部份，並有二百一十五頌半，可分作四段。一、前八頌是言明諸佛深廣難說的功德。二、由「其心無高下」起一百三十一頌半，言明普賢行功德的種種差別相狀。三、從「依於佛智住」起四十頌，是略明前面菩薩的兩千行之相狀。四、由「雖令無量眾」起三十六頌，是作總結而勸發修學此功德行。

〈離世間品〉是把從十信、十住、十行、十迴向、十定這中間，再重複修整之後，由淺入深地說明菩薩行。

《華嚴經》這齣宇宙大劇一開始，就顯示華藏世界海的莊嚴。起先由一切世間主要來宣說毘盧遮那不可思議的偉大，法界中成佛。在其中，事實上已經宣說要如何依據《華嚴經》來修證。其修習次第是先標舉出果位境界，顯現廣大難思的海印三昧、華藏世界海，再從十信、十住、十行、十迴向、十地、十定、十通、十忍，次第修習到佛的如來現相，圓滿普賢行；到最後成就佛的果位，依此次第而完全圓滿。

最後的〈離世間品〉，主要是在相應於前面的根、道、果。但不要被本經的嚴格次第所障礙，因為隨拈一處都是。雖然次第宛然，但大家不要被這個次第限制住了，以為非經如此次第就不能成就。

〈入法界品〉解讀

在〈離世間品〉之後接著是〈入法界品〉，又「離」又「入」，出世間又入世間，迴向成佛又下化眾生，自覺覺他，覺行圓滿。自覺是一個向上的過程，覺他是一個下化的過程，這兩者要同時圓滿才是佛。

自覺完成之後，我們還必須在法界中實現，整部《華嚴經》真正將經中的境界實踐的，即最後的〈入法界品〉，回落到華嚴的普賢行。而〈入法界品〉即是以善財童子五十三參來實現。

〈入法界品〉是《華嚴經》最後一品，共有二十一卷，佔全經四分之一強。就內容和份量而言，本品可作為《華嚴經》的代表。

本品主要敘述善財童子參訪善知識的故事。「入法界品」在歷史上常以單行經流傳，而近代在尼泊爾亦發現了梵本Ganda-vyuha-sutra並予以校訂出版。唐代般若三藏所譯（西元六八五年）的《大方廣佛華嚴經》四十卷，即是〈入法界品〉的別行經。此《四十華嚴》最主要的特色是比起《六十華嚴》或《八十華嚴》的「入法界品」，要多出最後一卷說普賢十大行願的部份，可以補後二者的不足。

入法界的意義，即是要探求宇宙人生的實相，如同釋迦牟尼佛一樣證得無上正等正覺。因此入法界是依法為師，以一切法為師證入法性成就正覺。所以善財童子所參所見，無一不是中道，無一不是甚深寂滅。然後由此寂滅甚深中，從容而成普賢廣大行願，無窮無盡演妙法音，成熟有情眾生，莊嚴諸佛淨土。這樣的精神正是每一個追求生命圓滿的代表，這樣的行動也正是修行者的典範。

「入」是證悟之義，法界是所要證入的。

「法」有三個意義：一、能保持自己的特性。二、能成軌則使人知解。三、是心意所對的對象。

「界」也有三種意義：一、當「原因」解，因為依界能生聖道。二、當「性質」解，即界是一切法所依止的性質。三、當「分隔」講，即一切法都有分際而不相雜亂，如動物界、植物界。

而善財童子所入的「法界」，法藏在《探玄記》卷十八中舉出了五種意義，即：一、有為法界。二、無為法界。三、亦有為亦無為法界，如《起信論》所說一心法界分為心真如及心生滅，而各總攝一切法。因此是亦有為（心生滅）亦無為（心真如）法界。四、非有為非無為法界，即離有為、無為二種相之故。五、無障礙法界，即華嚴世界。一切法攝入一法，或一微塵中見一切法界，都畢竟無障礙。大小相入，時劫相入，如帝網交映，一多無礙而法界分明。而能入者也有五類，即：一、淨信。二、正解。三、修行。四、證得。五、圓滿。

其次，法藏還舉出入法界的五種類別：所入、能入、能入所入混融無二、能所圓融形奪俱泯、一異存亡無礙具足。所入法界又分五種：法法界、人法界、人法俱融法界、人法俱泯法界、無障礙法界。其中法界是指事、理、境、行、體、用、順、違、教、義法界，人法界指人、天、男、女、在家、出家、外道、諸神、菩薩、佛法界。人法界是因為此十種人法界參而不雜，善財童子一見，便悟入法界，所以稱人法界。而能入法界也有五重，即：身證、智證、俱證、身智俱泯、自在圓滿。

〈入法界品〉是第九會祇園重閣會，五分之中是「依人入證成德分」，五周因果中是「證入因果」。依人入證成德，即是指善財童子參訪善知識而入證法界法門，最終成就普賢實德。證入因果，果即證入法界圓滿果法皆是佛果所收，即如來師子頻申三昧顯現的法界自在。因則是文殊、普賢所現的一切法界法門。

〈入法界品〉的內容大致可分作兩部份，即序文和正文。正文是由卷六十一「爾時文殊師利童子從善住樓閣出」開始，展開善財五十三參的內容。如果依照《四十華嚴》來看，〈入法界品〉總結流通部份應是普賢行願（其卷四十），現在《八十華嚴》缺普賢菩薩，有美中不足之憾。

序文中，世尊在室羅筏國逝多林給孤獨園重閣，與五百大菩薩及五百聲聞在一起。世尊入師子頻申三昧起大神變嚴淨廣博一切，十方諸佛世界各大菩薩便來雲集，但是聲聞皆看不見諸佛的神力及諸菩薩聚會。

接著十方來的十大菩薩便依序讚歎佛陀，普賢菩薩再以十種法句開顯諸佛的師子頻申三昧。世尊為了讓菩薩都能安住師子頻申三昧，就從白毫放出名為「普照三世法界門」的大光明，普照諸佛世界海，令與會眾人都能得見。文殊菩薩以偈讚頌，諸菩薩因為受到三昧光明的照明，而進入這個三昧，得證種種法門。

正文由文殊菩薩出善住樓閣開始。文殊菩薩與眾菩薩一起朝詣世尊，供養結束後便南行人間，舍利弗等六千比丘也同行。文殊菩薩勸發六千比丘發菩提心以後，來到福城，住在城東莊嚴幢娑羅林裡。福城居民知道文殊菩薩住在林中，都前往朝禮。優婆塞、優婆夷，還有童子、童女各五百，善財童子也在其中。文殊為大眾說法後，善財童子便發菩提心。而且想要親近善知識，請教菩薩行為何，及如何修菩薩道。善財問菩薩應該如何學、如何修、如何趣向、如何行、如何淨、如何入、如何成就、如何隨順、如何憶念、如何增廣菩薩行？如何令普賢行速得圓滿？

文殊菩薩回答說：要成就一切智者，一定要尋求真正的善知識。因此介紹善財童子參訪德雲比丘，善財便往南參訪德雲比丘。善財參訪的善知識，共有五十五位人物，但是德生童子與有德童女同在一處問答，只能算作一會。而遍友童子師有問無答，不算一會。而文殊雖是同一人，但處所已異，便成二會，所以合起來共有五十三參。依其人物順序先列其名如下：

（一）文殊師利菩薩　（二）德雲比丘
（三）海雲比丘　（四）善住比丘
（五）彌伽醫生　（六）解脫長者
（七）海幢比丘　（八）休捨優婆夷
（九）毘目瞿沙仙人　（十）勝熱婆羅門
（十一）慈行童女　（十二）善見比丘
（十三）自在主童子　（十四）具足優婆夷
（十五）明智居士　（十六）法寶髻長者
（十七）普眼長者　（十八）無厭足王
（十九）大光王　（二十）不動優婆夷

（二十一）遍行外道
（二十三）婆施羅船師
（二十五）師子頻申比丘尼
（二十七）鞞瑟胝羅居士
（二十九）正趣菩薩
（三十一）安住主地神
（三十三）普德淨光夜神
（三十五）善救眾生妙德夜神
（三十七）守護一切城增長威力主夜神
（三十九）大願精進力救護一切眾生夜神
（四十一）瞿波釋種女
（四十三）天主光女
（四十五）賢勝優婆夷
（四十七）妙月長者

（二十二）優鉢羅華長者
（二十四）無上勝長者
（二十六）婆須蜜多女
（二十八）觀自在菩薩
（三十）大天神
（三十二）婆珊婆演底主夜神
（三十四）喜目觀察眾生夜神
（三十六）寂靜音海主夜神
（三十八）開敷一切樹華主夜神
（四十）妙德圓滿神
（四十二）摩耶佛母
（四十四）善知眾藝童子
（四十六）堅固解脫長者
（四十八）無勝軍長者

（四十九）最寂靜婆羅門　（五十）德生童子、有德童女

（五十一）彌勒菩薩　（五十二）文殊菩薩

（五十三）普賢菩薩

慧苑《刊定記》中將五十三參歸成二十類，即：一、比丘。二、醫生。三、長者。四、優婆夷。五、仙人。六、婆羅門。七、童女。八、童子。九、居士。十、人王。十一、外道。十二、船師。十三、比丘尼。十四、女人。十五、菩薩。十六、天神。十七、地神。十八：夜神。十九、林神。二十、先生。

善財童子南行參訪善知識，慧苑《刊定記》記所謂「南行」，並不是一定指方位上向南。「南」梵音稱作「馱器尼」，根據西域的訓釋，南是「右之意」，右是「順」之意。城邑殿園多皆向東，南便是右，所以「右繞」皆是依此而說。文殊順化，善財順求，所以南行即是順行。〈離世間品〉說「隨順，是不盡一切尊者教故。」「隨順」一詞，梵文便是「馱器尼」。所以南行即是右行，右行即是隨順行，所以往忉利天宮參訪不違南行之義。

在〈入法界品〉中，是整個《華嚴經》境界的實踐，透過善財童子的五十三

參，來次第修證成就，回落到華嚴的普賢行。

◆善財童子

善財童子是怎麼樣的一個人物呢？在經中記載著文殊菩薩對於善財童子的觀察：善財童子之所以會取名「善財」，是當他投生入母胎時，他的家宅內自然湧出七寶樓閣，樓閣下有七種潛伏地底的寶藏，寶藏上的土地更自動裂開，生出七支寶物。就是所謂的金、銀、琉璃、玻璃、珍寶、硨磲、瑪瑙七種寶物。

善財童子身處母胎十月之後誕生，形體四肢都端正具足。同時地下又湧出七大寶藏，長寬高各滿七個手肘，光明照耀。然後，屋宅中又有裝著各種物品的五百種寶器自然盈滿其中。就是：金剛皿中盛滿一切妙香，香皿中盛滿種種衣物，美玉皿中盛滿種種上好妙味的飲食，摩尼寶皿中盛滿種種殊勝奇異的珍寶，黃金皿中盛滿銀，銀皿中盛滿黃金，金銀皿中盛滿琉璃及摩尼寶珠，玻璃皿中盛滿硨磲，硨磲皿中盛滿玻璃，瑪瑙皿中盛滿珍珠，珍珠皿中盛滿瑪瑙，火紅摩尼寶皿中盛滿水藍色的摩尼寶珠，水藍色摩尼寶皿中盛滿火紅的摩尼珠，如是等五百種寶器都自然湧現。

同時，天空又雨下各眾寶物以及各種財物，充滿所有的庫藏。因為這個緣故，他的父母、親屬，以及善於為人看相的相師，就都叫這個孩子「善財」。菩薩又知道這個孩子，過去曾供養諸佛，種下許多善根。信解廣大，常樂於親近善知識，身、語、意業都沒有過失。又能清淨地修習菩薩道，求取一切智，成就諸佛的法器，心意清淨如虛空，迴向菩提而無所障礙。

在〈入法界品〉中，以善財童子來代表邁向成佛之道的眾生，也可以說我們每一個人都是善財童子，透過五十三參來修證實踐。

所以在我們自己的修證過程中，所參訪每一位善知識、所有的方便都是「入法界品」所參之法。我們都是善財童子，一切能夠相應而成佛的方法，都是我們的參法，也就是普賢行；以善財童子五十三參來相應普賢的行證。

實踐了我們所參之法，就是善財五十三參。像禪宗祖師洞山良价的〈功勛五位頌〉中的最後一頌：「頭角纔生已不堪，擬心求佛好羞慚，迢迢空劫無人識，肯向南詢五十三。」這「南詢五十三」，就是指善財五十三參，而此句講的是佛境菩薩行的境界。因緣未至時，我們就如同善財，一一參訪善知識。參訪善知識，不見得只是我們為自己請法，也是藉由這些參訪，把法講說清楚明白，同時增益說法者的功德，這是很不可思議的因緣。

而善財童子所參訪的每一位善知識的行業、身分都不同，他們都依各自所修持的法門而成就；這同時也顯示出每一位眾生所從事的行業、所住的地方、所處的環境，各個都不相同，卻可以形成個人不同的修持；每一位善知識，都有他們所專門的殊勝法門。〈入法界品〉之前所講的，是總攝而說，現在則將每一個活生生的例子說明。

一、文殊菩薩

善財童子最先參訪的是文殊菩薩，由文殊師利菩薩來勸發，代表以智慧來啟發、趨入；到最後參訪的是普賢菩薩，代表圓滿普賢行。

經中記載：「爾時，文殊師利菩薩勸諸比丘住普賢行，住普賢行已，入大願海。入大願海已，成就大願海。以成就大願海故心清淨，心清淨故身清淨，身清淨故身輕利。身清淨、輕利故，得大神通無有退轉。得此神通故，不離文殊師利足下，普於十方一切佛所悉現其身，具足成就一切佛法。」

文殊菩薩以智慧指導菩薩行者的方向，教導行者如何進入普賢行，實現普賢行。

經中記載：爾時，文殊師利菩薩勸諸比丘發阿耨多羅三藐三菩提心已，漸次南行，經歷人間至福城東，住莊嚴幢娑羅林中往昔諸佛曾所止住教化眾生大塔廟處，亦是世尊於往昔時修菩薩行能捨無量難捨之處。……

時，福城人聞文殊師利童子在莊嚴幢娑羅林中大塔廟處，無量大眾從其城出，來詣其所。……復有五百童子，所謂善財童子、善行童子、善戒童子、善威儀童子、善勇猛童子、善思童子、善慧童子、善覺童子、善眼童子、善臂童子、善光童子如是等五百童子，來詣文殊師利童子所，頂禮其足右遶三匝，退坐一面。

當文殊童子到福城時，童男、童女都來聽聞文殊菩薩說法。「童子」不是指小孩子，而是指青年——永遠追求向上的生命。菩薩也稱為童子，所以文殊菩薩也可以稱為文殊童子，普賢菩薩也可以稱為普賢童子，因為童子代表永遠的童真。童真是直心，是真心，沒有世間的雜染，具足智慧。童真不是無知，童真跟無知無關，菩薩代表孩子的純真、清淨，卻沒有童子的無知。

一開始，文殊師利觀察善財童子的因緣，為他演說佛法。

經中記載：爾時，文殊師利童子為善財童子及諸大眾說此法已，慇懃勸喻增長勢力，令其歡喜，發阿耨多羅三藐三菩提心，又令憶念過去善根。作是事已，即於其處復為眾生隨宜說法，然後而去。

爾時，善財童子從文殊師利所聞佛如是種種功德，一心勤求阿耨多羅三藐三菩提。……

爾時，文殊師利菩薩如象王迴觀善財童子，作如是言「善哉！善哉！善男子、汝已發阿耨多羅三藐三菩提心，復欲親近諸善知識，問菩薩行，修菩薩道。善男子！親近供養諸善知識，是具一切智最初因緣，是故於此勿生疲厭。」

在之前，經中已把整個華嚴的見地、修行次第、果地說得很清楚了，現在要落實下來實踐，就是落實在善財童子身上。善財童子代表我們每一個眾生，尤其是每一個要行普賢行的眾生。經由文殊菩薩的大智勸發，善財他怎麼說呢？

經中記載：善財白言：「唯願聖者廣為我說，菩薩應云何學菩薩行？應云何修菩薩行？應云何趣菩薩行？應云何行菩薩行？應云何淨菩薩行？應云何入菩薩行？應云何成就菩薩行？應云何隨順菩薩行？應云何憶念菩薩行？應云何增廣菩薩行？應云何令普賢行速得圓滿。」

善財童子祈願文殊菩薩廣為宣說，菩薩應如何學習、勤修、趣向、實行、清淨、證入、成就、隨順、憶念，增廣菩薩行，疾速圓滿成就普賢行。

文殊師利應善財的請法，告訴善財童子，應以什麼態度來修習普賢行：

經中記載：「善哉！善哉！善男子！汝已發阿耨多羅三藐三菩提心，求菩薩行。善男子！若有眾生能發阿耨多羅三藐三菩提心，是事為難。能發心已求菩薩行，倍更為難。」

「善男子！若欲成就一切智智，應決定求真善知識。善男子！求善知識勿生疲懈，見善知識勿生厭足，於善知識所有教誨皆應隨順，於善知識善巧方便勿見過失。」

文殊師利菩薩告訴善財童子說他已經發起無上菩提心，要求取菩薩行。如果有人發起無上菩提心，已經算是很難得的，而他若能在發心之後，還繼續求取菩薩行，更是難得。並告訴他如想成就諸佛的一切智智，就應該尋求真正的善知識。而且在求訪善知識時，切勿心生疲倦懈怠，參見善知識勿心生滿足，對於善知識所有的教誨，都應該隨順實行，不要只看到善知識各種善巧方便的過失。

當善財童子去參訪的每一位善知識時，每一位善知識都會為他再介紹另一位善知識。

◆二、德雲比丘

一開始文殊菩薩介紹善財去參訪德雲比丘：

經中記載：「善男子！於此南方有一國土，名為勝樂；其國有山，名曰妙峰；於彼山中，有一比丘，名曰德雲。汝可往問：菩薩云何學菩薩行？菩薩云何修菩薩行？乃至菩薩云何於普賢行疾得圓滿？德雲比丘當為汝說。」

善財如何面對聖者求教呢？

經中記載：「聖者！我已先發阿耨多羅三藐三菩提心，而未知菩薩云何學菩薩行？云何修菩薩行？乃至應云何於普賢行疾得圓滿？我聞聖者善能誘誨，唯願垂慈為我宣說：云何菩薩而得成就阿耨多羅三藐三菩提？」

善財在參訪每一位善知識時，一見面他都會說：「我已經先發起阿耨多羅三藐三菩提心。」

在此我們也可以看到：善財童子所面對的，都是那個年代各個領域的大善知識，那些大菩薩們都是散居在人間的各個領域裡面，他們同樣都安住在佛法的見地當中，卻示現出種種不同的樣貌。這裡面顯現了一個菩薩行者如何勤取一切法，及如何成就一切法的過程。

德雲比丘住勝樂園妙峰山，以修證「憶念一切諸佛境界智慧光明普見法門」為主。能夠看見十方佛土、佛陀等，但是不能了解大菩薩的各種念佛法門，因此介紹善財參訪海雲比丘。

◆三、海雲比丘

海雲比丘住於海門國，十二年中恆常以大海為對象來思惟，直至大海中忽然出現大蓮華，蓮華上有一位如來盤腿結跏趺坐，示現種種不可思議，為他演說普遍觀察眾生的普眼法門。海雲比丘受教一千二百年後，教導十方眾生趣入此一「諸佛菩薩行光明普眼法門」，但不能窮盡演說諸大菩薩入一切菩薩行海、入大願海、入一切眾生海的功德等。

海雲比丘以大海為修行境界，他是觀海而成就。

◆四、善住比丘

再來是參訪善住比丘，善住比丘住楞伽道邊的海岸聚落，位於海雲比丘處更南方六十由旬，他正在空中往來經行。善住比丘成就了「普速疾供養諸佛成就眾生無礙解脫門」，獲得智慧光明，叫做「究竟無礙」，能了知眾生的各種心行。但不能了知菩薩所持守的種種戒律，如大悲戒、波羅蜜戒等。善財得到此法門之後，就一心專修。

經中記載：爾時，善財童子一心正念法光明法門，深信趣入專念於佛，不斷三寶歎離欲性，念善知識普照三世，憶諸大願普救眾生，不著有為，究竟思惟諸法自性，悉能嚴淨一切世界，於一切佛眾會道場心無所著。

這時，善財童子一心正念光明的法門，深信趣入，專心念佛。不斷絕三寶，讚歎離欲的本性。憶念善知識普照三世的功德，憶念所有的廣大誓願，普遍救護眾生，不執著有為，只是究竟思惟諸法自性，能莊嚴清淨所有的世界，在諸佛的眾會道場，毫無執著。

就這樣，善財證得一個法門之後，就專心地修持；每一位善知識為他開示某個法門之後，他就一心思惟修學。接著來到下一位善知識那兒，他還是說：「聖者！我已先發阿耨多羅三藐三菩提心。」然後請問如何修行菩薩行。

就這樣子，善財一心精進修持，四處求訪善知識。

我們看到善財童子很自然地說：「我已經發了阿耨多羅三藐三菩提心。」反觀很多朋友常說：「唉呀！我沒有發心哪！」也許我們可以改說自己還沒有修得很好，但是不要說自己沒有發心。何妨學學善財童子！

◆五、彌伽醫生

接著善財童子參訪彌伽醫生，彌伽住達里鼻荼國自在城（晉譯作自在國咒藥城良醫彌伽），坐於師子座上演說「輪字莊嚴法門」。得妙音陀羅尼，了知十方無數世界種種語言，他成就了「菩薩妙音陀羅尼光明法門」，但他仍然不知普遍趣入眾生種種想海、設施海、名號海等，於是他便推薦善財童子參訪住林的解脫長者。

善財童子因為彌伽大士的開示，於一切智慧法深心生起尊重，深深根植了清淨的信心，深自增長利益。他禮拜了彌伽大士的雙足，涕淚悲泣，遶大士轉無數圈，愛戀仰慕地瞻仰之後，辭退離去。

這時，善財童子思惟所有菩薩的無礙解陀羅尼光明莊嚴法門，深入所有菩薩的語言法門。就這樣善財童子思惟著佛法，慢慢地遊化行走，走了十二年來到住林城尋訪解脫長者。

◆六、解脫長者

解脫長者已經證入「普攝一切佛剎無邊旋陀羅尼三昧門」，能在身中示現一切佛剎等。入出「如來無礙莊嚴解脫門」，普見十方諸佛，而且自知一切如幻皆由自心所現。解脫長者成就「如來無礙莊嚴解脫門」，入出自在，但不能了知菩薩得無礙智、住無礙行的境界等。所以解脫長者推薦他南行去參訪摩利伽羅的海幢比丘。

善財童子一心正念長者的教誨，一路思惟，慢慢南行尋訪海幢比丘。

◆七、海幢比丘

當善財童子來訪時，海幢比丘正深入大三昧中，但在三昧中又能示現種種變化教化利益眾生。這個三昧的名稱為「普眼捨得三昧」，又叫「般若波羅蜜境界清淨光明」、「普莊嚴清淨門」，證入此三昧能夠毫無障礙了知一切世界，往詣、莊嚴一切世界、親見諸佛等，但他仍不能了知菩薩如何入於智慧海淨法界境等。

所以他建議善財童子向南走，到一個叫海潮的地方，那兒有一位住於普莊嚴園林名叫休捨的優婆夷。

◆八、休捨優婆夷

「休捨」意為寂靜，這位優婆夷（女性居士）住於海潮住處普莊嚴園林中。休捨優婆夷恭敬供養承事過許多位佛陀，她已經發起菩提心，她誓願要莊嚴清淨一切世界、拔除一切眾生煩惱習氣竭盡之後。她的誓願才算圓滿，她所證得的法門為「離憂安隱幢解脫門」。

◆九、毘目瞿沙仙人

接著，善財童子參訪毘目瞿沙仙人。毘目瞿沙仙人住於那羅素國的大林中，已經證得「菩薩無勝幢解脫」，他以這個解脫力加持善財童子，善財童子便看到自身前往十方佛土親見諸佛，因為被菩薩無勝幢解脫智慧光明等照耀，而證得毘盧遮那藏三昧的光明等。

善財童子就這樣一心專修，一路參訪，這次毘目瞿沙仙人介紹他去參訪住於伊沙那聚落的勝熱婆羅門。

◆十、勝熱婆羅門

勝熱婆羅門所證得的法門是：「菩薩無盡輪解脫」。他對善財童子有相當大的啟發，因此特別摘錄精采經文，讓修學《華嚴經》的我們，同善財童子一起參訪勝熱婆羅門。

經中記載：漸次遊行至伊沙那聚落，見彼勝熱修諸苦行求一切智，四面火聚猶如大山，中有刀山高嶺無極，登彼山上投身入火。

時，善財童子頂禮其足，合掌而立，作如是言：「聖者！我已先發阿耨多羅三藐三菩提心，而未知菩薩云何學菩薩行？云何修菩薩道？我聞聖者善能誘誨，願為我說！」

婆羅門言：「善男子！汝今若能上此刀山，投身火聚，諸菩薩行悉得清淨。」

時，善財童子作如是念：「得人身難，離諸難難，得無難難，得淨法難，得值佛難，具諸根難，聞佛法難，遇善人難，逢真善知識難，受如理正教難，得正命難，隨法行難。此將非魔、魔所使耶？將非是魔險惡徒黨，詐現菩薩善知識相，而欲為我作善根難、作壽命難，障我修行一切智道，牽我令入諸惡道中，欲障我法門、障我佛法？」

善財童子就這樣慢慢遊行，到了伊沙那聚落，看見那勝熱婆羅門正在修習各種苦行，求一切智。他四面聚集了猶如大山的烈火，其中有非常高峻的刀山，勝熱婆羅門爬到那高山上，投身進入火中。

這時，善財童子頂禮其足，合掌站立，說：「聖者啊！我在以前已經發起無上正等正覺之心，然而我還不知道菩薩如何學菩薩行？如何修菩薩道？我聽說聖者善於循循誘導、教誨眾生，希望您能為我解說。」

婆羅門回答：「善男子啊！如果你現在能夠爬上這刀山，投身大火中，你就能清淨所有的菩薩行。」

這時，善財童子心裡想：「能得到人身是非常難得的；能遠離各種苦難是非常難得的；能夠沒有災難是非常難得的；能夠得到清淨的法門是非常難得的；能夠遇到諸佛是非常難得的；能夠具足諸根是非常難得的；能夠聽聞佛法是非常難得的；能夠遇到善人是非常難得的；能夠碰到真正的善知識是非常難得的；能夠受持如理的正教是非常難得的；能過著如法的生活是非常難得的；能夠隨法修行是非常難得的。這個婆羅門，難道是魔指使來的嗎？會不會是魔的險惡徒黨，狡詐地示現菩薩善知識的樣子，而想使我難以增長善根，減短壽命，而障礙我修行一切智慧之道，引我進入惡道，障礙我的法門，障礙我的佛法呢？」

閱讀這段經文時，我們看到善財童子心中產生懷疑退卻，還好經過無數天王、眾生的勸發，善財童子才恢復信心。善財童子這樣的行徑是值得我們深思的。

經中記載：復有無量欲界諸天於虛空中，以妙供具恭敬供養，唱如是言：「善男子！此婆羅門五熱炙身時，其火光明照阿鼻等一切地獄，諸所受苦悉令休息。我等見此火光明故，心生淨信。以信心故，從彼命終生於天中。為知恩故而來其所，恭敬瞻仰無有厭足。時婆羅門為我說法，令無量眾生發菩提心。」

爾時，善財童子聞如是法，心大歡喜，於婆羅門所發起真實善知識心，頭頂禮敬，唱如是言：「我於大聖善知識所生不善心，唯願聖者容我悔過！」

虛空中又有無數的欲界諸天，以上妙的供具恭敬地供養、唱誦：「善男子啊！這婆羅門五熱焚炙自身的時候，那火的光明照徹了阿鼻地獄等一切地獄，所有受苦的眾生都得以休息。我們一看見這火的光明，心中就生起清淨的信心。因為這堅固的信心，使我們在命終之後，得以往生天上。我們為了知恩報恩而前來拜見他，恭敬瞻仰他的容顏，沒有滿足。這時婆羅門就為我們說法，使無量眾生都生起菩提心。」

這時，善財童子聽聞這些法門之後，心生歡喜，就以對待真實善知識的心看視婆羅門，以頭觸地頂禮致敬、唱誦：「祈願聖者原諒我對大聖善知識生起的不善心，我願誠心悔過。」

經中記載：時，婆羅門即為善財而說頌言：「

若有諸菩薩，順善知識教，一切無疑懼，安住心不動。

當知如是人，必獲廣大利，坐菩提樹下，成於無上覺。」

爾時，善財童子即登刀山，自投火聚。未至中間，即得菩薩善住三昧。纔觸火焰，又得菩薩寂靜樂神通三昧。善財白言：「甚奇！聖者！如是刀山及大火聚，我身觸時安隱快樂。」

這時，婆羅門就為善財說了以下的偈頌：「

若有諸菩薩眾，隨順善知識教，一切無有疑懼，安住心不動搖。

當知如是之人，必獲廣大利益，端坐菩提樹下，成於無上正覺。」

這時，善財童子立刻登上刀山，投入火堆。他沒掉到火坑時，就證得了菩薩善住三昧，才剛接觸到火焰，又證得了菩薩靜樂神通三昧。善財對婆羅門說：「太奇妙了！聖者啊！這些刀山和大火坑，我的身體一接觸到它們的時候，竟是如此的安穩快樂。」

◆十一、慈行童女

接著，善財童子參訪住在師子奮迅城的慈行童女，她是師子幢王的女兒，住在莊嚴的毘盧遮那藏殿中，證得「般若波羅蜜普莊嚴門」，因此，她能使諸佛影像一一現於宮殿當中，以此來教化眾生。善財思惟著菩薩安住的甚深行持，而證得種種陀羅尼門，然後他漸漸南行，到達三眼國參訪善見比丘。

◆十二、善見比丘

善見比丘年少而出家，曾隨著三十九億恆河沙數的諸佛，清淨地修習梵行，證得「菩薩隨順解脫門」，能夠在一念之間使一切十方世界現前。

◆十三、自在主童子

接著，善財童子再行進至南方的名聞國，參訪住於河渚的自在主童子。當時，自在主童子身邊圍繞了十千名童子，正在玩聚沙成塔的遊戲。自在主童子曾依文殊菩薩修學數法，悟入「一切工巧神通智法門」，而且深知菩薩算數法。

◆十四、具足優婆夷

接著，善財童子再前往南方的海住大城，參訪一位名叫具足的優婆夷，她所成就的是「菩薩無盡福德藏解脫法門」，所以她能在微小的器皿中，隨著眾生的種種欲望喜樂，生出種種無量的美味飲食，供給十方眾生、車乘、香花等種種器具。

當善財童子證得無盡莊嚴福德藏解脫光明法門後，思惟著善知識的福德大海，就漸漸南行來到大興城。

◆十五、明智居士

明智居士住於大興城，他坐在七寶臺上，證得「隨意出聲福德藏解脫門」，能隨眾生所需，恣意供給，滿足他們的願望。

善財童子在明智居士那裡，聽聞這個解脫門之後，悠遊於他的福德大海、增長福德勢力。他漸漸地走向南方，尋訪師子城的法寶髻長者。

◆十六、法寶髻長者

法寶髻長者住在師子宮大城，為善財介紹其宅舍，他的宅第十分寬廣，樓高十層，每一層有八扇大門，其中種種莊嚴及菩薩眾會宣說微妙法音。這是他過去供養無邊光明法界普莊嚴王如來所獲得的福報，才能成就「菩薩無量福德寶藏解脫門」。

善財童子聽聞這解脫門之後，深入諸佛無量知見，他漸漸南行，雖然經歷了種種艱難險阻，但是他不怕勞苦，一心正念善知識的教誨，後來他來到了藤根國的普門城，尋訪普眼長者。

◆十七、普眼長者

普眼長者住藤根國普門城，證得「令一切眾生普見諸佛法門」，能治療一切眾生的疾病，而且教化佛法；並能做種種香，以香供佛而出無量香雲以為莊嚴。

善財童子憶念思惟善知識的教誨，感念善知識的攝受、守護，使他能不退轉無上正等正覺。他又漸漸南行，經過總總國土，來到達多羅幢城，參訪無厭足王。

◆十八、無厭足王

善財童子遠遠就看見無厭足王坐在那羅延金剛寶座上，國王的面前有十萬個勇猛的士兵，許多人犯了國王頒發的禁令，有盜取他人財物、殺害他人等，隨著他們所犯的罪而受懲治，有的手腳被砍斷，有的鼻子被割……，有各式各樣的痛苦毒害，犯人們都發出哀號慘叫。

善財童子看了此景，心中想著：「我為了利益眾生，求菩薩行、修菩薩道。無厭足王消滅各種善法，竟造作如此大的罪業，逼迫惱害眾生，乃至於斷除他們的生命，不曾顧慮恐懼未來投生惡道果報。我到這裡怎能求取佛法，發起大悲心，更別談救護眾生了。

善財童子正如此想，空中有天神告訴他，不要厭離善知識，因為善知識可以引導他到達沒有險難而安穩的地方，菩薩的善巧方便是不可思議的。善財童子聽了天神一番話後，就前往無厭足國王的處所，頂禮無厭足王，向他請法。

無厭足王以地獄法治城，證得「菩薩如幻解脫」，令眾生不作十惡業，未曾惱害任何眾生。

善財童子一心正念無厭足王證得的幻智法門，一路漸漸南行，雖經過種種城邑、曠野、深谷險難，但他並不感到疲倦懈怠，也不曾休息，最後終於到了妙光大城，尋訪大光王。

◆十九、大光王

大光王修習「菩薩大慈幢行」，能進入以菩薩大慈為首的隨順世間三昧。使眾生所有的怖畏心、惱害心、怨敵心、諍論心等等心意，都自然的消滅。他並在善財童子面前趣入這個三昧門，示現眾生的慈心行相。

◆二十、不動優婆夷

身為童女的不動優婆夷，住在安住城的王都自己家中，她的身相莊嚴，常為大眾說法。不動童女、過去世曾於脩臂佛處修行，成就「求一切法無厭足的三昧光明」，所以她能為一切眾生說法，讓他們心生歡喜。

◆二十一、遍行外道

遍行外道住在無量都薩羅大城東方善德山上，已經成就了「至一切處菩薩行」、「普觀世間三昧門」、「無依無作神通力」、「普門般若波羅蜜」。

◆二十二、優鉢羅華長者

優鉢羅華長者住於廣大國，以賣香為主，知道種種香品及如何調和香品方法，也知道種香品的產地、香品的治病法及天龍八部諸香等。

◆二十三、婆施羅船師

婆施羅船師住於樓閣大城外海邊，能為大眾開示大海法及佛功德海，已經成就「菩薩大悲行幢」，因此能救度眾生出離生死海。

◆二十四、無上勝長者

無上勝長者住在可樂城東邊大莊嚴幢無憂林中，常為商人、居士說法。長者已經成就了「至一切處修菩薩行清淨法門無依無作神通力」，因此能夠到任何眾生的世界為他們宣說佛法。

◆二十五、師子頻申比丘尼

比丘尼住在輸那國迦陵迦林城勝光王布施的日光園中，常為大眾說法。比丘尼已經得證「成就一切智解脫」，所以她能在一念之間普照三世一切法，出生三昧王三昧，得意生身，了知一切法都如幻如化。

◆二十六、婆須蜜多女

婆須蜜多女住於險難國寶莊嚴城城北自宅中，過去生是由文殊菩薩勸發修行的，她已經得證「菩薩離貪際解脫」。婆須蜜多女因為此解脫力示現淫女身，度化眾生遠離貪欲而證得光明解脫。

◆二十七、鞞瑟胝羅居士

鞞瑟胝羅居士住於善度城，常供養佛塔。了知諸佛沒有涅槃，因此證得佛種無盡三昧，成就「菩薩所得不般涅槃際解脫」。

二十八、觀自在菩薩

觀自在菩薩住補怛洛迦山（光明山），宣說大慈悲法，已經成就「菩薩大悲行解脫門」。如果眾生能憶念菩薩，或唱念菩薩的名字，或見到菩薩的身影，都能永離怖畏、免除種種的恐懼，並且教導他們發起無上正等正覺之心，永不退轉。

二十九、正趣菩薩

正趣菩薩由東方空中飛來，成就了「菩薩普門疾行解脫」，因此能夠立刻周遍到達任何地方，他是從東方妙藏世界普勝生佛那兒學得這個法門。

三十、大天神

大天神住於墮羅鉢底城，善財童子參訪他時，看見他以四大海水洗淨自己的臉，而以金華散於善財身上，大天神已經成就了「雲網解脫」，能夠為眾生示現種種寶物、形相等以令眾生捨善行惡。

◆三十一、安住主地神

安住主地神住在摩竭提國的菩提場，她已經成就「不可壞智慧藏法門」，所以恆常以這個法門成就眾生。

◆三十二、婆珊婆演底主夜神

婆珊婆演底主夜神住於摩竭提國迦毘羅城，成就了「菩薩破眾生癡暗法光明解脫」，能夠破除眾生愚癡黑暗，遠離一切苦惱，而予以淨法之光明。

◆三十三、普德淨光夜神

普德淨光夜神也住在摩竭提國菩提場內，他已經成就了「菩薩寂靜禪定樂普遊步解脫門」，所以能見到三世諸佛，能以種種方便來成就眾生。

三十四、喜目觀察眾生夜神

喜目觀察眾生夜神也住摩竭提國菩提道場邊，當善財童子參訪她時，她在如來眾會道場坐師子座上，以能趣入「大勢力普喜幢解脫」，令善財童子得以親見諸多稀有之事，善財便立即證得了菩薩不可思議的偉大勢力普喜幢自在力解脫。

三十五、普救眾生妙德夜神

普救眾生妙德夜神也同處如來會中，她為善財童子示現菩薩調伏眾生神力，並宣說彌勒菩薩、寂靜音海夜神及自己在過去曾經歷普智寶焰妙德幢如來時的因緣。依普賢菩薩勸發菩提心而修行，成就「菩薩普現一切世間調伏眾生解脫門」。

三十六、寂靜音海主夜神

寂靜音海主夜神也住於菩提道場附近，成就「菩薩念念出生廣大喜莊嚴解脫門」。修持十種廣大的法藏則能入此解脫，即修布施、淨戒、精進、禪定、般若、方便、諸願、諸力、淨智廣大法藏。十種廣大的法藏為：

（一）修布施的廣大法藏，隨順眾生的心意，完全滿足他們。
（二）修淨戒的廣大法藏，普遍證入諸佛的功德海。
（三）修堪忍的廣大法藏，普遍思惟一切法性。
（四）修精進的廣大法藏，趣入一切智恆不退轉。
（五）修禪定的廣大法藏，以消滅眾生的熱惱。
（六）修般若的廣大法藏，以普遍了知一切法海。
（七）修方便的廣大法藏，以普遍成熟一切眾生海。
（八）修種種願的廣大法藏，遍佈一切佛剎、一切眾生海，窮盡未來的時劫修菩薩行。
（九）修習諸力的廣大法藏，念念示現一切的法海，即諸佛國土，成就正等正覺，恆常不休息。
（十）修習清淨智慧的廣大法藏，得證如來智，普遍的了知三世一切諸法，無有障礙。

三十七、守護一切城增長威力主夜神

守護一切城增長威力主夜神也在如來會中，證得「菩薩甚深自在妙音解脫」，能令一切的世間斷除遠離戲論的語言，而恆常宣說真實清淨的話語。

善財童子在此夜神的教授下，證入菩薩甚深自在的妙音解脫法門，而趣入無邊的三昧海，趣入廣大的總持海，得到菩薩的大神通，獲得菩薩的大辯才。

三十八、開敷一切樹華主夜神

開敷一切樹華主夜神也同在如來會中，他成就了「菩薩出生廣大喜光明解脫門」，因此能夠了知如來普攝眾生的善巧方便智慧。並述說過去普照法界智慧山寂靜威德王佛時的因緣，那時的法音圓滿蓋王就是現在的毘盧遮那佛，光明王即淨飯王，蓮花光夫人即摩耶夫人，寶光童女即夜神本身。

三十九、大願精進力救護一切眾生夜神

大願精進力救護一切眾生夜神也是在如來道場中，她已成就「教化眾生令生

善根解脫門」，她了悟一切法自性平等，並宣說她往昔曾在善光時劫親近承事供養諸佛，修習這法門。

四十、妙德圓滿神

妙德圓滿神住在嵐毘尼園林，她告訴善財童子說只要菩薩能夠成就十種自在受生的寶藏，就能得以出生如來家。此女神已經成就「菩薩於無量劫遍一切處示現受生自在解脫門」，因此能了知無量的時劫菩薩下生成道情形。

十種自在受生的寶藏為：（一）願常供養諸佛的自在受生寶藏。（二）發菩提心的自在受生寶藏。（三）觀察一切法門，精勤修行的自在受生寶藏。（四）以深淨心普照三世的自在受生寶藏。（五）平等光明的自在受生寶藏。（六）生在如來家的自在受生寶藏。（七）佛力光明的自在受生寶藏。（八）觀普智門的自在受聲寶藏。（九）普現莊嚴的自在受聲寶藏。（十）入如來地的自在受生寶藏。

四十一、瞿波釋種女

瞿波釋種女住於迦毘羅城，她為善財童子宣說：只要成就十法便能圓滿因陀羅網普智光明的菩薩行，並且勸他應以十種法來承事善知識。釋迦女瞿波已成就「觀察一切菩薩三昧海解脫門」，並宣說她過去於勝日身如來時的因緣。

四十二、摩耶夫人

當善財童子參訪摩耶夫人時，她坐在從地上湧出的大寶蓮華座上，示現淨妙的色身，由於她已經成就「大願智幻解脫門」，所以她能夠常做一切菩薩的母親，過去、未來亦做佛母。

四十三、天主光女

天主光女是三十三天正念天王之女，已經成就「菩薩無礙念清淨莊嚴解脫」，因此她能憶念過去無量劫供養諸佛之事，以及諸佛住胎、誕生、成正覺、轉法輪等如是一切所做事，從初發心乃至法盡，她都能銘記不忘。

◆四十四、善知眾藝童子

天主光女介紹善財參訪迦毘羅城遍友童子，但遍友為善財介紹善知眾藝童子。童子成就「菩薩善知眾藝解脫」，唱持四十二字門，入般若波羅蜜門。因此他能以四十二般若波羅蜜門為首，入無量般若門。

◆四十五、賢勝優婆夷

賢勝優婆夷住在摩竭提國婆咀那城中，她證得「菩薩無依處道場解脫」，同時她也證得無盡三昧。

◆四十六、堅固解脫長者

堅固解脫長者住在沃田城，已經成就「菩薩無著念清淨莊嚴解脫」，因此能在十方諸佛的道場勤求正法，沒有休息。

四十七、妙月長者

妙月長者一樣住在沃田城的自宅中，證得「菩薩淨智光明解脫」。

四十八、無勝軍長者

無勝軍長者住在出生城，已經成就「菩薩無盡相解脫」，曾經面見無量諸佛，證得無盡藏。

四十九、最寂靜婆羅門

最寂靜婆羅門住在出生城南的法聚落中，已經成就「菩薩誠願語解脫」。不退菩提，住於誠願語，能滿一切願。

五十、德生童子、有德童女

德生童子、有德童女住在妙意華門城，證得「菩薩幻住解脫」，所以能見一切世界都是如幻安住。

五十一、彌勒菩薩

彌勒菩薩住於南方海岸國大莊嚴園毘盧遮那莊嚴藏大樓閣中。德生童子、有德童女為善財介紹彌勒菩薩所行，善財童子便依著他們所說的來到大樓閣前，頂禮攝心思惟觀察，讚歎樓閣及諸位菩薩後。然後見到彌勒菩薩由別處來，彌勒菩薩便以偈頌讚歎善財童子功德。

善財童子啟問如何修菩薩行，彌勒菩薩讚歎發菩提心功德無盡之後，宣說進入毘盧遮那莊嚴藏大樓閣中周遍觀察，便能了知修菩薩行。善財童子入閣以後見種種莊嚴，及彌勒菩薩所顯之種種相。然後彌勒菩薩再為善財介紹文殊師利童子是其善知識，應當參訪。

五十二、文殊菩薩

善財童子向南參訪經歷一百一十城，來到了普門國蘇摩那城，希望能夠覲見文殊菩薩。文殊菩薩從遙遠的地方伸出右手，經過一百一十由旬摩觸著善財童子的頭，宣說示現法門，讓善財童子成就無數法門，具足無量的大智慧光明，然後就隱沒不見。

◆五十三、普賢菩薩

善財童子一心想見文殊菩薩，然後同時生起欲見普賢菩薩的心念，渴仰等同普賢境界。他即在金剛藏菩提場毘盧遮那佛師子座前，生起十一種廣大心，也就是所謂的：等同虛空的廣大的心；捨去所有的剎土、遠離各種染著、無障礙的心；普遍行持一切無礙法的無礙心；普遍進入十方海的無礙心；普遍進入一切智境界的清淨心；觀察道場莊嚴，明了的心；進入一切佛法海，廣大的心；度化一切眾生界，周遍的心；清淨一切國土，無量的心；安住一切時劫，無盡的心；趣入如來十力，究竟的心。

善財童子生起這十一種心念時，由於自己的善根力、諸佛的加被力、普賢菩薩的善根力，使他能看見十種瑞相、十種光明。

更用心祈求時，便看見普賢菩薩坐寶蓮華師子座上，一一毛孔出生無量自在神通境界，十方世界諸佛處也是如此。善財因此便得十種智波羅蜜，普賢以右手摩善財頂，善財便得無數三昧門。普賢神力唯佛能知，而此神力是過去久修菩薩行的功德。普賢身相清淨，善財觀見普賢相好，又見自身在普賢身中教化眾生。而善財所親近無數善知識所得善根，不及見普賢一毛分。而從初發心到見普賢所入佛剎海，不及一念入普賢一毛孔所見。普賢菩薩因此向諸大菩薩以偈頌宣說諸佛功德大海一滴相。最後，「八十華嚴」以此偈頌做為結束。

「佛智廣大同虛空，普遍一切眾生心，
悉了世間諸妄想，不起種種異分別。
一念悉知三世諸法，亦了一切眾生根器，
譬如善巧大幻師，念念示現無邊事，
隨眾生心種種行，往昔諸業誓願力，
令其所見各不同，而佛本來無動念。……」

如前所說《四十華嚴》卷四十及〈普賢行願品〉，應該把〈普賢行願品〉接在卷八十，合在一起參究較妥。

〈入法界品〉五十三參影響佛教相當深遠，宋代佛國惟白禪師(作《建中靖國續燈陸》三十卷)及作了《文殊指南圖讚》，有簡短的說明並刻圖及作讚頌德。張商英讚美此書可與李通玄《華嚴經論》、澄觀《疏鈔》、龍樹《二十萬偈》相庇美。

在這部《華嚴經》中五十三參，「未來的華嚴經」是不是仍然保持五十三參呢?未來的《華嚴經》的因緣，可能會有八十三參、四十八參，而且未來的因緣所問所答的，恐怕也不同於古代;未來的善財很可能是坐著車子，或搭乘高速鐵路，或是坐著太空船到外星球去參訪，這都是有可能的。

如果我們發心，就是善財童子，我們終將完成自己的《華嚴經》，成就毘盧遮那佛。

◆善財童子五十三參圖表

圖自《文殊指南圖讚》

一
善知識：文殊師利菩薩
參訪地：福城莊嚴幢娑羅林塔廟
身　份：菩薩

二
善知識：德雲比丘
參訪地：勝樂園妙峰山
成證法：憶念一切諸佛境界智慧光明普見法門
身　份：比丘

三
善知識：海雲比丘
參訪地：海門國
成證法：諸佛菩薩行光明普眼法門
身　份：比丘

四
善知識：善住比丘
參訪地：楞伽道邊的海岸聚落
成證法：普速疾供養諸佛成就眾生無礙解脫門
身　份：比丘

五
善知識：彌伽醫生
參訪地：達里鼻荼國自在城
成證法：菩薩妙音陀羅尼光明法門
身　份：醫生

六
善知識：解脫長者
參訪地：住林聚落
成證法：如來無礙莊嚴解脫門
身　份：長者

七
善知識：海幢比丘
參訪地：閻浮提畔摩利伽羅國
成證法：普莊嚴清淨門
身　份：比丘

八
善知識：休捨優婆夷
參訪地：海潮住處普莊嚴園林
成證法：離憂安隱幢解脫門
身　份：女居士

九
善知識：毘目瞿沙仙人
參訪地：那羅素國
成證法：菩薩無勝幢解脫
身　份：仙人

十
善知識：勝熱婆羅門
參訪地：伊沙那聚落
成證法：菩薩無盡輪解脫
身　份：婆羅門

十一
善知識：慈行童女
參訪地：師子奮迅城
成證法：般若波羅蜜普莊嚴門
身　份：童女

十二
善知識：善見比丘
參訪地：三眼國
成證法：菩薩隨順解門
身　份：比丘

十三
善知識：自在主童子
參訪地：名聞國河渚之中
成證法：一切工巧神通智法門
身　份：童子

十四
善知識：具足優婆夷
參訪地：海住大城
成證法：菩薩無盡福德藏解脫門
身　份：女居士

十五
善知識：明智居士
參訪地：大興城
成證法：隨意出生福德藏解脫門
身　份：居士

十六
善知識：法寶髻長者
參訪地：師子宮大城
成證法：菩薩無量福德寶藏解脫門
身　份：長者

十七
善知識：普眼長者
參訪地：藤根國普門城
成證法：令一切眾生普見諸佛法門
身　份：長者

十八
善知識：無厭足王
參訪地：多羅幢大城
成證法：菩薩如幻解脫
身　份：國王

十九
善知識：大光王
參訪地：妙光城
成證法：菩薩大慈幢行
身　份：國王

二十
善知識：不動優婆夷
參訪地：安住城王都
成證法：求一切法無厭足的三昧光明
身　份：女居士

二十一
善知識：遍行外道
參訪地：無量都薩羅大城東方善德山
成證法：普觀世間三昧門
身　份：外道

二十二
善知識：優鉢羅華長者
參訪地：廣大國
成證法：善於了知調配各種香
身　份：香商

二十三
善知識：婆施羅船師
參訪地：樓閣城外海邊
成證法：菩薩大悲行幢
身　份：船師

二十四
善知識：無上勝長者
參訪地：可樂城東邊大莊嚴幢無憂林
成證法：至一切處修菩薩行清淨法門無依無作神通力
身　份：長者

二十五
善知識：師子頻申比丘尼
參訪地：輪那國迦陵迦林城的日光園
成證法：成就一切智解脫
身　份：比丘尼

二十六
善知識：婆須蜜多女
參訪地：險難國寶莊嚴城
成證法：菩薩離貪際解脫
身　份：女人

二十七
善知識：鞞瑟胝羅居士
參訪地：善度城
成證法：菩薩所得不般涅槃際解脫
身　份：居士

二十八
善知識：觀自在菩薩
參訪地：補怛落迦山
成證法：菩薩大悲行解脫門
身　份：菩薩

二十九
善知識：正趣菩薩
參訪地：東方空中飛來
成證法：菩薩普門疾行解脫
身　份：菩薩

三十
善知識：大天神
參訪地：墮羅鉢底城
成證法：雲網解脫
身　份：天神

三十一
善知識：安住地神
參訪地：摩竭提國菩提場
成證法：不可壞智慧藏法門
身　份：女地神

三十二
善知識：婆珊婆演底主夜神
參訪地：摩竭提國迦毘羅城
成證法：菩薩破眾生癡暗法光明
解脫
身　份：女夜神

三十三
善知識：普德淨光夜神
參訪地：摩竭提國菩提道場內
成證法：菩薩寂靜禪定樂普遊步解脫門
身份：女夜神

三十四
善知識：喜目觀察眾生夜神
參訪地：摩竭提國菩提道場邊
成證法：大勢力普喜幢解脫
身　份：女夜神

三十五
善知識：普救眾生妙德夜神
參訪地：摩竭提國
成證法：菩薩普現一切世間調伏眾生解脫門
身　份：女夜神

三十六
善知識：寂靜音海主夜神
參訪地：摩竭提國菩提道場附近
成證法：菩薩念念出生廣大喜莊嚴解脫門
身　份：女夜神

三十七
善知識：守護一切城增長威力主夜神
參訪地：摩竭提國
成證法：菩薩甚深自在妙音解脫
身　份：女夜神

三十八
善知識：開敷一切樹華主夜神
參訪地：摩竭提國
成證法：菩薩出生廣大喜光明解脫門
身　份：女夜神

三十九
善知識：大願精進力救護一切眾生主夜神
參訪地：摩竭提國
成證法：教化眾生令生善根解脫門
身份：女夜神

四十
善知識：妙德圓滿神
參訪地：嵐毘尼園林
成證法：菩薩於無量勢遍一切處示現受生自在解脫門
身　份：女神

四十一
善知識：瞿波釋種女
參訪地：迦毘羅城
成證法：觀察一切菩薩三昧海解脫門
身　份：童女

四十二
善知識：摩耶佛母
參訪地：迦毘羅城
成證法：大願智幻解脫門
身　份：佛母

四十三
善知識：天主光女
參訪地：三十三天
成證法：菩薩無礙念清淨莊嚴解脫
身　份：女

四十四
善知識：善知眾藝童子
參訪地：迦毘羅城
成證法：菩薩善知眾藝解脫
身　份：童子

四十七
善知識：妙月長者
參訪地：沃田城
成證法：菩薩淨智光明解脫
身　份：長者

四十五
善知識：賢勝優婆夷
參訪地：摩竭提國婆咀那城
成證法：菩薩無依處道場解脫
身　份：女居士

四十八
善知識：無勝軍長者
參訪地：出生城
成證法：菩薩無盡相解脫
身　份：長者

四十六
善知識：堅固解脫長者
參訪地：沃田城
成證法：菩薩無著念清淨莊嚴解脫
身　份：長者

四十九
善知識：最寂靜婆羅門
參訪地：出生誠南的法聚落
成證法：菩薩誠願語解脫
身　份：婆羅門

五十
善知識：德生童子、有德童女
參訪地：妙意華門城
成證法：菩薩幻住解脫
身　份：童子、童女

五十一
善知識：彌勒菩薩
參訪地：海岸國大莊嚴園毘盧遮
　　　　那莊嚴藏大樓閣
身　份：菩薩

五十二
善知識：文殊菩薩
參訪地：普門國蘇摩那城
身　份：菩薩

圖五十三
善知識：普賢菩薩
參訪地：金剛藏菩提場寶蓮華師子座
身　份：菩薩

第3章

華嚴經的日修法

修習《華嚴經》法的行人，在日常生活中應當依止《華嚴經》，生活要以本經的見地、修習、行持、果地為中心，不斷地了悟經中的心要，務使自身融入經典。

我們生活於這個世界，讓這世界成為《華嚴經》的示現，讓我們自己就在這個世界當中，一切所緣對境，都能與普賢菩薩一如。以眼、耳、鼻、舌、身、意六根面對色、聲、香、味、觸、法六種塵境，而出生的見、聞、嗅、味、身觸、意等六種覺受，都不遠離《華嚴經》中所闡述的妙法。以《華嚴經》的正見為見地，以《華嚴經》的修持為修持，以《華嚴經》的勝行為己行，圓滿證悟成就華嚴果地。

選擇一天當中最適宜的時間，每天固定修持、讀誦或抄寫《華嚴經》或選擇經文中一品專修，如〈淨行品〉（原經文附於後），讓自己在日常生活中的所做所行，都能與法相應，或依「華嚴經的修持法軌」來修持。

華嚴經的修持法軌

一、皈命

南無　大智海毘盧遮那如來

南無　大方廣佛華嚴經

南無　蓮華藏海華嚴會上佛菩薩

二、祈請

皈命聖不動自性大悲者　大智海普賢現流清淨道
因道果圓滿毘盧遮那智　唯佛與佛究竟大華嚴經
淨信惟能入道源功德母　發心即成隨佛數成正覺
殊勝了義不可思議佛音　住不退真實隨順如來語
願佛攝我蓮華藏清淨海　性起惟住帝珠正覺道場
相攝相入廣大悲智力用　平等受用寂滅金剛法界
皈命大方廣佛常住華嚴　隨順華嚴法流永無退轉

三、發心

(1) 四弘誓願

眾生無邊誓願度　煩惱無盡誓願斷
法門無量誓願學　佛道無上誓願成

(2) 皈依發心

佛法僧及諸聖眾　直至菩提永皈依
清淨施等我誓作　為利有情成佛道

(3) 四無量心

願諸眾生具足樂與樂因　願諸眾生脫離苦及苦因
願諸眾生常住無苦安樂　願諸眾生捨分別證平等

(4) 修法發心

願見普賢真實心　願修普賢真實法
願行普賢真實道　願證普賢果地圓

◆四、懺悔

往昔所造諸惡業　皆由無始貪瞋癡

從身語意之所生　一切我今皆懺悔
往昔所造諸惡業　皆由無始貪瞋癡
從身語意之所生　普賢現前賜清淨
往昔所造諸惡業　皆由無始貪瞋癡
從身語意之所生　六根清淨念實相

五、供養

供養常住佛法僧眾　現前普賢殊勝三寶
能供所供本然無生　無滅福慧願如勝尊

花、香、水、燈、果及無量珍寶，隨意演現供養空中常住及《華嚴經》法三寶。

六、誦經

如力誦持《華嚴經》。

行者可依自身時間因緣如力誦持，可具足誦完一品，或則少分如經中幾品。

平常當常常誦持本經，若時間不足，在修法時可以稱念：

南無《大方廣佛華嚴經》（七稱或二十一稱）

◆七、普賢十大願王三昧明穗（亦名隨集功德輪）

法界體空全禮佛　讚嘆普賢不思議

身口意淨勤供養　懺悔業障住實相

功德廣大勝隨喜　祈請法輪如法位

遍吉住世無量壽　願隨佛學無生滅

眾生隨順咸成佛　普皆迴向法住德

◆八、觀空並安住如幻三昧

觀空頓如幻　廣大悲心住

善巧樂修習　為眾願如尊

現觀法界頓空，以大悲故，以體性清淨如如故，生起如幻三昧，善巧修學本精妙法，圓滿本經妙果。

九、正行現修

1見　隨自己之修力生起本經之正見，現觀自身及法界頓空如幻，心具大悲視一切眾生，憶念思惟如下的本經正見頌，並安住頌中正見。

海印現前無染著　性淨菩提如實圓
華嚴勝見盡如來　究竟一如普賢性
法界藏身秘密體　初始發心即正覺
根道果如現圓具　帝珠現空相映成
處處現同法界真　真如遍至法界身
性理圓真具事顯　事現隨理證遍圓
一多相融遍法界　大小互攝映帝珠
同時具足會十世　主伴圓明功德現

諸法相即示自在　隱密顯了具成圓
一念現觀一境如　一切眾境一時現
一境一智圓法界　一念時劫會空圓
十方廣大無邊際　十世流通法界緣
帝網重重映重重　智通無礙攝智通
十方三世一念具　同時炳現佛智全

2修　隨力正觀自己之身、語、意，並使自身三業隨順於普賢菩薩，正念思惟，現觀如下的本經修法頌。在本經與普賢菩薩的加持下，頓然成就如普賢菩薩，並修習一切諸佛勝法。

信住行入迴向地　十定十通次第圓
圓無次第次第顯　大悲流行示普賢
信為道源功德母　無修次第圓空住
隨順性海毘盧體　善發大願證菩提
廣大圓滿勝發心　性起圓生入佛海

帝珠相應遍圓觀　全體法界大力揚
妙修圓滿全法界　如實具勝真如相
華嚴現觀海印月　次第如明一性具
大小現攝空生圓　十世一念當下如
因陀羅網無盡藏　法性難思不思量
不可思議映海印　三昧緣生極燦爛
海躍日豁然明　空樂遍生法界光

3行　在普賢菩薩的加持下，現生如普賢菩薩，並正念觀行本經，成為普賢菩薩之化身，在世間依止本經的勝行，實踐普賢菩薩的大行事業。

普賢行道極圓滿　行道普賢示妙相
有力菩提心隨圓　如修普賢菩薩行
憶念如來心無間　教授細溫正思惟
但用法界全體力　善財南來五三參
性起智妙次第圓　普賢行位發心前

因道果圓恆住法　稽首大恩普賢王
隨處即現蓮華藏　無盡緣起法界藏
隨拈一處圓法界　所行菩提如來藏
佛力妙注入法界　現前佛境菩薩行

4果　如水注水，如空證空，法界體性現前一如，普賢菩薩遍入自己的身體、語言、心意，使自身三業完全清淨，自己的身體、語言、心意亦完全銷融於普賢菩薩，平等平等，無二無二；自成普賢本尊，並圓滿安住於大行普賢菩薩的果地，現如普賢一般教化眾生。

現觀本經果地頌：

性海菩提覺性海　佛果妙圓如來相
從本無生離眾妄　現前無滅毘盧光
如來相好極海印　果德殊勝境圓滿
因果一如妙德圓　十方三世同炳現
勝妙大覺蓮華藏　一切眾生顯成佛

無情有情同佛圓　稽首華嚴大覺佛
法恆華嚴頂中住　隨順現流法界全
性相體圓用具足　毘盧遮那佛世尊

十、結歸　迴向

懺除一切諸修誤　前憶本誓自在足
金剛隨念顯莊嚴　法界體證一心成
修法諸功德　迴向於一切
同證體性佛　因果同無生

十一、下座

下座後心安住於《華嚴經》的修持法中，並對經文的深意反覆思惟、深刻體解，在日常行住坐臥中，都以《華嚴經》的觀點來思惟、面對、實踐，生活在《華嚴經》中。

修習淨行品

淨行品的經文

爾時，智首菩薩問文殊師利菩薩言：佛子！菩薩云何得無過失身、語、意業？云何得不害身、語、意業？云何得不可毀身、語、意業？云何得不可壞身、語、意業？云何得不退轉身、語、意業？云何得不可動身、語、意業？云何得殊勝身、語、意業？云何得清淨身、語、意業？云何得無染身、語、意業？云何得智為先導身、語、意業？

云何得生處具足、種族具足、家具足、色具足、相具足、念具足、慧具足、行具足、無畏具足、覺悟具足？

云何得勝慧、第一慧、最上慧、最勝慧、無量慧、無數慧、不思議慧、無與等慧、不可量慧、不可說慧？

云何得因力、欲力、方便力、緣力、所緣力①、根力、觀察力、奢摩他②力、毘鉢舍那③力、思惟力？云何得蘊善巧、界善巧、處善巧、緣起善巧、欲界善巧、色界善巧、無色界善巧、過去善巧、未來善巧、現在善巧？

云何善修習念覺分④、擇法覺分⑤、精進覺分、喜覺分、猗覺分⑥、定覺分、⑦捨覺分、空、無相、無願？

云何得圓滿檀波羅密、尸波羅密、羼提波羅密、毘梨耶波羅密、禪那波羅密、般若波羅密，及以圓滿慈、悲、喜、捨？云何得處非處智力、過未現在業報智力、根勝劣智力、種種界智力⑨、種種解智力、一切至處道智力⑩、禪解脫三昧染淨智力、宿住念智力⑪、無障礙天眼智力、斷諸習智力？

云何常得天王、龍王、夜叉王、乾闥婆王、阿脩羅王、迦樓羅王、緊那羅王、摩睺羅伽王、人王、梵王之所守護，恭敬供養？云何得與一切眾生為依、為救、為歸、為趣、為炬、為明、為照、為導、為勝導、為普導？云何於一切眾生中，為第一、為大、為勝、為最勝、為妙、為極妙、為上、為無上、為無等、為無等等？

爾時，文殊師利菩薩告智首菩薩言：「善哉！佛子！汝今為欲多所饒益、多所安隱，哀愍世間、利樂天人，問如是義。佛子！若諸菩薩善用其心，則獲一切勝妙功德；於諸佛法，心無所礙，住去、來、今諸佛之道；隨眾生住，恆不捨離；如諸法相，悉能通達；斷一切惡，具足眾善；當如普賢，色像第一，一切行願皆得具足；於一切法，無不自在，而為眾生第二導師。

佛子！云何用心能獲一切勝妙功德？佛子！

菩薩在家，當願眾生：知家性空，免其逼迫。

孝事父母，當願眾生：善事於佛，護養一切。
妻子集會，當願眾生：怨親平等，永離貪著。
若得五欲，當願眾生：拔除欲箭，究竟安隱。
妓樂聚會，當願眾生：以法自娛，了妓非實。
若在宮室，當願眾生：入於聖地，永除穢欲。
著瓔珞時，當願眾生：捨諸偽飾，到真實處。
上昇樓閣，當願眾生：昇正法樓，徹見一切。
若有所施，當願眾生：一切能捨，心無愛著。
眾會聚集，當願眾生：捨眾聚法，成一切智。
若在厄難，當願眾生：隨意自在，所行無礙。
捨居家時，當願眾生：出家無礙，心得解脫。
入僧伽藍，當願眾生：演說種種，無乖諍法。
詣大小師，當願眾生：巧事師長，習行善法。
求請出家，當願眾生：得不退法，心無障礙。

脫去俗服，當願眾生：勤修善根，捨諸罪軛。
鬀除鬚髮，當願眾生：永離煩惱，究竟寂滅。
著袈裟衣，當願眾生：心無所染，具大仙道。
正出家時，當願眾生：同佛出家，救護一切。
自歸於佛，當願眾生：紹隆佛種，發無上意。
自歸於法，當願眾生：深入經藏，智慧如海。
自歸於僧，當願眾生：統理大眾，一切無礙。
受學戒時，當願眾生：善學於戒，不作眾惡。
受闍梨教，當願眾生：具足威儀，所行真實。
受和尚教，當願眾生：入無生智，到無依處。
受具足戒，當願眾生：具諸方便，得最勝法。
若入堂宇，當願眾生：昇無上堂，安住不動。
若敷床座，當願眾生：開敷善法，見真實相。
正身端坐，當願眾生：坐菩提座，心無所著。

結跏趺坐，當願眾生：善根堅固，得不動地。
修行於定，當願眾生：以定伏心，究竟無餘。
若修於觀，當願眾生：見如實理，永無乖諍。
捨跏趺坐，當願眾生：觀諸行法，悉歸散滅。
下足住時，當願眾生：心得解脫，安住不動。
若舉於足，當願眾生：出生死海，具眾善法。
著下裙時，當願眾生：服諸善根，具足慚愧。
整衣束帶，當願眾生：檢束善根，不令散失。
若著上衣，當願眾生：獲勝善根，至法彼岸。
著僧伽梨，當願眾生：入第一位，得不動法。
手執楊枝，當願眾生：皆得妙法，究竟清淨。
嚼楊枝時，當願眾生：其心調淨，噬諸煩惱。
大小便時，當願眾生：棄貪瞋癡，蠲除罪法。
事訖就水，當願眾生：出世法中，速疾而往。

洗滌形穢，當願眾生：清淨調柔，畢竟無垢。

以水盥掌，當願眾生：得清淨手，受持佛法。

以水洗面，當願眾生：得淨法門，永無垢染。

手執錫杖，當願眾生：設大施會，示如實道。

執持應器，當願眾生：成就法器，受天人供。

發趾向道，當願眾生：趣佛所行，入無依處。

若在於道，當願眾生：能行佛道，向無餘法。

涉路而去，當願眾生：履淨法界，心無障礙。

見昇高路，當願眾生：永出三界，心無怯弱。

見趣下路，當願眾生：其心謙下，長佛善根。

見斜曲路，當願眾生：捨不正道，永除惡見。

若見直路，當願眾生：其心正直，無諂無誑。

見路多塵，當願眾生：遠離塵坌，獲清淨法。

見路無塵，當願眾生：常行大悲，其心潤澤。

若見險道，當願眾生：住正法界，離諸罪難。
若見眾會，當願眾生：說甚深法，一切和合。
若見大柱，當願眾生：離我諍心，無有忿恨。
若見叢林，當願眾生：諸天及人，所應敬禮。
若見高山，當願眾生：善根超出，無能至頂。
見棘刺樹，當願眾生：疾得翦除，三毒之刺。
見樹葉茂，當願眾生：以定解脫，而為蔭映。
若見華開，當願眾生：神通等法，如華開敷。
若見樹華，當願眾生：眾相如華，具三十二。
若見果實，當願眾生：獲最勝法，證菩提道。
若見大河，當願眾生：得預法流，入佛智海。
若見陂澤，當願眾生：疾悟諸佛，一味之法。
若見池沼，當願眾生：語業滿足，巧能演說。
若見汲井，當願眾生：具足辯才，演一切法。

若見涌泉，當願眾生：方便增長，善根無盡。
若見橋道，當願眾生：廣度一切，猶如橋樑。
若見流水，當願眾生：得善意欲，洗除惑垢。
見修園圃，當願眾生：五欲圃中，耘除愛草。
見無憂林，當願眾生：永離貪愛，不生憂怖。
若見園苑，當願眾生：勤修諸行，趣佛菩提。
見嚴飾人，當願眾生：三十二相，以為嚴好。
見無嚴飾，當願眾生：捨諸飾好，具頭陀行。
見樂著人，當願眾生：以法自娛，歡樂不捨。
見無樂著，當願眾生：有為事中，心無所樂。
見歡樂人，當願眾生：常得安樂，樂供養佛。
見苦惱人，當願眾生：獲根本智，滅除眾苦。
見無病人，當願眾生：入真實慧，永無病惱。
見疾病人，當願眾生：知身空寂，離乖諍法。

見端正人，當願眾生：於佛菩薩，常生淨信。
見醜陋人，當願眾生：於不善事，不生樂者。
見報恩人，當願眾生：於佛菩薩，能知恩德。
見背恩人，當願眾生：於有惡人，不加其報。
若見沙門，當願眾生：調柔寂靜，畢竟第一。
見婆羅門，當願眾生：永持梵行，離一切惡。
見苦行人，當願眾生：依於苦行，至究竟處。
見操行人，當願眾生：堅持志行，不捨佛道。
見著甲胄，當願眾生：常服善鎧，趣無師法。
見無鎧仗，當願眾生：永離一切，不善之業。
見論議人，當願眾生：於諸異論，悉能摧伏。
見正命人，當願眾生：得清淨命，不矯威儀。
若見於王，當願眾生：得為法王，恆轉正法。
若見王子，當願眾生：從法化生，而為佛子。

若見長者，當願眾生：善能明斷，不行惡法。
若見大臣，當願眾生：恆守正念，習行眾善。
若見城廓，當願眾生：得堅固身，心無所屈。
若見王都，當願眾生：功德共聚，心恆喜樂。
見處林藪，當願眾生：應為天人，之所歎仰。
入里乞食，當願眾生：入深法界，心無障礙。
到人門戶，當願眾生：入於一切，佛法之門。
入其家已，當願眾生：得入佛乘，三世平等。
見不捨人，當願眾生：常不捨離，勝功德法。
見能捨人，當願眾生：永得捨離，三惡道苦。
若見空鉢，當願眾生：其心清淨，空無煩惱。
若見滿鉢，當願眾生：具足成滿，一切善法。
若得恭敬，當願眾生：恭敬修行，一切佛法。
不得恭敬，當願眾生：不行一切，不善之法。

見慚恥人，當願眾生：具慚恥行，藏護諸根。
見無慚恥，當願眾生：捨離無慚，住大慈道。
若得美食，當願眾生：滿足其願，心無羨欲。
得不美食，當願眾生：莫不獲得，諸三昧味。
得柔軟食，當願眾生：大悲所熏，心意柔軟。
得麁澁食，當願眾生：心無染者，絕世貪愛。
若飯食時，當願眾生：禪悅為食，法喜充滿。
若受味時，當願眾生：得佛上味，甘露滿足。
飯食已訖，當願眾生：所作皆辦，具諸佛法。
若說法時，當願眾生：得無盡辯，廣宣法要。
從舍出時，當願眾生：深入佛智，永出三界。
若入水時，當願眾生：入一切智，知三世等。
洗浴身體，當願眾生：身心無垢，內外光潔。
盛暑炎毒，當願眾生：捨離眾惱，一切皆盡。

暑退涼初，當願眾生：證無上法，究竟清涼。
諷誦經時，當願眾生：順佛所說，總持不忘。
若得見佛，當願眾生：得無礙眼，見一切佛。
諦觀佛時，當願眾生：皆如普賢，端正嚴好。
見佛塔時，當願眾生：尊重如塔，受天人供。
敬心觀塔，當願眾生：諸天及人，所共瞻仰。
頂禮於塔，當願眾生：一切天人，無能見頂。
右遶於塔，當願眾生：所行無逆，成一切智。
遶塔三匝，當願眾生：勤求佛道，心無懈歇。
讚佛功德，當願眾生：眾德悉具，稱歎無盡。
讚佛相好，當願眾生：成就佛身，證無相法。
若洗足時，當願眾生：具神足力，所行無礙。
以時寢息，當願眾生：身得安隱，心無動亂。
睡眠始寤，當願眾生：一切智覺，周顧十方。

「佛子！若諸菩薩如是用心，則獲一切勝妙功德；一切世間諸天、魔、梵、沙門、婆羅門、乾闥婆、阿脩羅等，及以一切聲聞、緣覺，所不能動。」

（本經文摘自三藏實叉難陀所譯《大方廣佛華嚴經》八十卷，其版本是以日本《大正新修大藏經》為底本，而以宋版《磧砂大藏經》為校勘本，並輔以明版《嘉興正續大藏經》與《大正藏》本身所作之校勘，作為本經之校勘依據。）

註釋

①所緣

緣是攀緣的意思，心識所攀緣的境界，叫做所緣。

②奢摩他

意譯作「止」。

③毘鉢舍那

意譯作「觀」。以正智觀察事理之意。

④念覺分

時時觀念正法，常使定慧均等，覺了分明。

⑤擇法覺分

明察諸法，認取真實之法，不為虛偽所遮蔽。

⑥猗覺分

「猗」又作「輕安」。斷除身心粗重的煩惱，而得輕安快樂。

⑦捨覺分

捨離一切虛妄之法，而力行正法。

⑧「無願解脫」

又稱作「無作解脫」，是於一切生死法中，願求離於造作之念，不生希求後世之有，以悟入涅槃。

⑨種種界智力

能普知眾生種種境界不同的智力。

⑩一切至處道智力

即能知一切眾生之行道因果，如五戒、十善之行而至人間、天上，或八正道之無漏行法而至涅槃等，各知其為行因所致之果。

⑪宿命住念智力

即能如實了知眾生過去世之種種事的智力。

全佛文化事業有限公司----出版目錄

產 品 目 錄	定價	備註
<密乘心要> $1600/套		
藏密基礎修法與正見--殊勝的成佛之道	$250	
大圓滿之門--秋吉林巴新巖藏法	$350	
藏密仁波切訪問集--如是我聞	$320	
薩迦派上師略傳--佛所行處	$180	
噶舉派上師教言--大手印教言	$180	
民國密宗年鑑	$320	
<佛經修持法>		
1.如何修持心經	$200	
2.如何修持金剛經	$260	
3.如何修持阿彌陀經	$200	
4.如何修持藥師經（附CD）	$280	
5.如何修持大悲心陀羅尼經	$220	
6.如何修持阿閦佛國經	$200	
<蓮花生大士全傳> $1880/套		
第一部 蓮花王	$320	
第二部 師子吼聲	$320	
第三部 桑耶大師	$320	
第四部 廣大圓滿	$320	
第五部 無死虹身	$320	
蓮花生大士祈請文集	$280	
<談錫永作品> $2620/套		
1.閒話密宗	$200	
2.西藏密宗占卜法(附占卜卡、骰子)	$450	
3.細說輪迴生死書(上)	$200	
4.細說輪迴生死書(下)	$200	
5.西藏密宗百問	$250	
6.觀世音與大悲咒	$220	

7.佛家名相	$220	
8.密宗名相	$220	
9.佛家宗派	$220	
10.佛家經論--見修法鬘	$180	
11.生與死的禪法	$260	
<佛家經論導讀叢書> $7680/套		
1.雜阿含經導讀	$450	
2.異部宗輪論導讀	$240	
3.大乘成業論導讀	$240	
4.解深密經導讀	$320	
5.阿彌陀經導讀	$320	
6.唯識三十頌導讀	$450	
7.唯識二十論導讀	$300	
8.小品般若經論對讀(上)	$400	
9.小品般若經論對讀(下)	$420	
10.金剛經導讀	$220	
11.心經導讀	$160	
12.中論導讀(上)	$420	
13.中論導讀(下)	$380	
14.楞伽經導讀	$400	
15.法華經導讀(上)	$220	
16.法華經導讀(下)	$240	
17.十地經導讀	$350	
18.大般涅槃經導讀(上)	$280	
19.大般涅槃經導讀(下)	$280	
20.維摩詰經導讀	$220	
21.菩提道次第略論導讀	$450	
22.密續部總建立廣釋導讀	$280	
23.四法寶鬘導讀	$200	
24.因明入正理論導讀(上)	$240	
25.因明入正理論導讀(下)	$200	
<白話小說> $2010/套		
1.阿彌陀佛大傳(上)--慈悲蓮華	$320	

2.阿彌陀佛大傳(中)--智慧寶海	$320	
3.阿彌陀佛大傳(下)--極樂世界	$320	
4.地藏菩薩大傳	$380	
5.大空顛狂--濟公禪師大傳(上)	$320	
6.大空顛狂--濟公禪師大傳(下)	$350	
<心靈活泉>　$3545/套		
1.慈心觀	$200	
2.拙火瑜伽	$280	
3.不動明王（目前缺書）	$280	
4.準提菩薩	$250	
5.孔雀明王	$260	
6.愛染明王	$260	
7.大白傘蓋佛母息災護佑行法	$295	
8.月輪觀	$240	
9.阿字觀	$240	
10.五輪塔觀	$300	
11.五相成身觀	$320	
12.四大天王	$280	
13.穢積金剛--焚盡煩惱障礙	$290	
<佛教小百科>		
1.佛菩薩的圖像解說(一)	$320	
2.佛菩薩的圖像解說(二)	$280	
3.密教曼荼羅圖典(一)---總論、別尊、西藏	$240	
4.密教曼荼羅圖典(二)----胎藏界(上)	$300	
5.密教曼荼羅圖典(二)----胎藏界(中)	$350	
6.密教曼荼羅圖典(二)----胎藏界(下)	$420	
7.密教曼荼羅圖典(三)----金剛界(上)	$260	
8.密教曼荼羅圖典(三)----金剛界(下)	$260	
9.佛教的真言咒語	$330	
10.天龍八部	$350	
11.觀音寶典	$320	
12.財寶本尊與財神	$350	
13.消災增福本尊	$320	

14.長壽延命本尊	$280	
15.智慧才辯本尊（附CD）	$290	
16.令具威德懷愛本尊	$280	
17.佛教的手印	$290	
18.密教的修法手印(上)	$350	
19.密教的修法手印(下)	$390	
20.簡易學梵字--基礎篇（附CD）	$250	
21.簡易學梵字--進階篇（附CD）	$300	
22.佛教的法器	$290	
23.佛教的持物	$330	
24.佛教的塔婆	$290	
25.中國的佛塔(上)--中國歷代佛塔	$240	
26.中國的佛塔(下)--中國著名佛塔	$240	
27.西藏著名的寺院與佛塔	$330	
28.佛教的動物(上)	$220	
29.佛教的動物(下)	$220	
30.佛教的植物(上)	$220	
31.佛教的植物(下)	$220	
32.佛教的蓮花	$260	
33.佛教的香與香器	$280	
34.佛教的神通	$290	
35.神通的原理與修持	$280	
36.神通感應錄	$250	
37.佛教的念珠	$220	
38.佛教的宗派	$295	
39.佛教的重要經典	$290	
40.佛教的重要名詞解說	$380	
41.佛教的節慶	$260	

全套購書85折　單冊購書9折（郵購請加掛號郵資60元）

全佛文化事業有限公司　　台北市松江路69巷10號5樓
Buddhall Cultural Enterprise Co.,LTD.
TEL:(02)2508-1731　FAX:(02)2508-1733
郵政劃撥帳號:19203747　全佛文化事業有限公司

佛經修持法 7

如何修持華嚴經

作　　者　洪啟嵩
發 行 人　黃瑩娟
執行編輯　吳續媜
美術設計　莊心慈
出 版 者　全佛文化事業有限公司
地址：台北市松江路69巷10號5樓
永久信箱：台北郵政26-341信箱
電話：（02）2508-1731　傳真：（02）2508-1733
郵政劃撥：19203747全佛文化事業有限公司
E-mail：buddhall@ms7.hinet.net
http：//www.buddhall.com
行銷代理　紅螞蟻圖書有限公司
地址：台北市內湖區舊宗路2段121巷28之32號4樓
（富頂科技大樓）
電話：（02）2795-3656　傳真：（02）2795-4100
初　　版　2005年 9月
定價新臺幣 290元

國家圖書館出版品預行編目資料

如何修持華嚴經 / 洪啓嵩著. -- 初版 --
臺北市：全佛文化，2005[民 94]
面；　　公分. -- (佛經修持法；7)

ISBN 957-2031-75-9(平裝)

1.佛教 － 修持 2.華嚴部

225.7　　　　94016280